Retour à Madison

Robert James Waller

Retour à Madison

ROMAN

Traduit de l'américain
par Nicole Hibert

Albin Michel

Titre original :
A THOUSAND COUNTRY ROADS
© Robert James Waller 2002
Traduction française :
© Éditions Albin Michel S.A., 2003
22, rue Huyghens, 75014 Paris
www.albin-michel.fr
ISBN 2-226-13509-X

Encore une fois,
pour les voyageurs,
les étrangers,
les derniers cow-boys.

Et pour tous les lecteurs qui ont demandé
la suite de l'histoire,
la voici.

Voici le livre des adieux.

Préface

Certaines chansons sont portées par l'herbe bleue et mille routes de campagne.

C'est par ces mots que commençait un livre intitulé *Sur la route de Madison*. En vérité, il n'y avait pas une chanson, mais deux. Deux histoires. Il arrive parfois qu'une histoire doive attendre son tour, céder la priorité à une autre.

Durant les années qui suivirent, les lecteurs de *Sur la route de Madison* m'écrivirent – des hommes et des femmes, des adolescents, garçons et filles, des routiers et des ménagères, des avocats et des pilotes, des ouvriers de l'industrie pétrolière. Je reçus des centaines, des milliers de lettres, du monde entier, et qui toutes me touchèrent par leur gentillesse.

Parmi mes correspondants, beaucoup voulaient en savoir davantage sur Robert Kincaid et Francesca

Johnson, leur vie, ce qu'il était advenu d'eux après les quatre jours qu'ils avaient passés ensemble dans le comté de Madison, Iowa.

Moi, je menais une existence paisible et satisfaisante dans un ranch isolé des hauts plateaux désertiques, j'étais retourné à mes chères études d'économie et de mathématiques, à ma guitare jazz. Je n'éprouvais aucune envie d'exhumer les notes accumulées au cours de mes recherches, aucun besoin de me remettre à écrire. Cependant, pour des raisons qui me restent obscures, une lettre – une de plus – qui me réclamait des informations me décida à raconter la suite de l'histoire.

Je m'interroge encore sur l'improbabilité, la nature du hasard. *Sur la route de Madison*, une petite histoire qui se déroulait dans un bref laps de temps, un livre conçu à l'origine comme un cadeau destiné à ma famille et mes amis, un livre que je n'espérais pas voir publier – je ne songeais même pas en l'écrivant à une publication –, est traduit maintenant dans au moins trente-cinq langues. Un modeste roman tiré sur une imprimante bon marché, à l'époque où je travaillais sur un Zenith 286 qui présentait de sérieux signes de fatigue.

Voici donc, pour ceux qui me l'ont demandée et pour les autres, la suite de l'histoire. Tous, je crois,

Retour à Madison

seront surpris notamment de découvrir la joie imprévue que connut Robert Kincaid vers la fin de sa vie. Car il s'avéra que l'éternel voyageur solitaire n'était pas aussi seul qu'il l'imaginait.

Robert James WALLER
Del Norte Moutains, Texas
Saint-Sylvestre 2001

1

Robert Kincaid

Mais oui :

Refais-la donc tourner, la grande corde,
peut-être pas aussi haut ni aussi vite qu'autrefois
mais quand même
que tu l'entendes siffler
que tu sentes le cercle
au-dessus de toi
et le soleil ceinturé par ce cercle
les ombres sur le sol où la grande corde tournoie
alors que tout va vers la fin
vers les encore-une-fois

... vers l'inévitable et la longue route sinueuse
où tu as roulé ta bosse depuis les ténèbres mater-
nelles jusqu'à ceci : le brouillard sur Puget Sound
et les soirées du mardi, au Shorty's, à écouter le

saxo ténor de Nighthawk méditer sur *Autumn Leaves*.

Mais oui, c'est comme ça, la fin de ta saison et toujours seul, avec le bourdonnement du frigo et le murmure de tes souvenirs. Les derniers cow-boys, tout ça. Ceux qui ont tracé la piste de tes voyages et de tes départs. Désormais, il n'y a plus que le murmure de tes souvenirs et le bourdon-nement du frigo et le sax de Nighthawk le mardi soir.

Dans une autre vie, ça aurait pu être différent. Ça aurait pu marcher pour toi et cette femme. Elle était ton unique chance, pourtant si on réfléchit à ce qui s'est passé, il n'y avait aucune chance. Tu l'as toujours su, tu le savais sans doute déjà à l'époque.

Partir, quitter ce qu'elle avait, aurait fait d'elle une personne qui n'aurait plus ressemblé à celle avec qui tu as vécu ces jours et ces nuits. Une telle décision, un tel acte l'auraient changée. Mais tu aurais pris le risque et fait de ton mieux pour que ça marche, si elle t'avait suivi.

Maintenant, en ce petit matin de novembre 1981, un brouillard glacé s'étire sur l'eau. Des piles de courrier s'entassent sur la table de cuisine payée cinq dollars dans une brocante. Apportée jusqu'ici par ferry, des années après qu'on avait démoli à coups de bulldozer l'immeuble de Bellingham pour construire un centre commercial. Les enveloppes ont un air officiel, administratif – l'organisme des anciens vétérans et la Sécurité sociale qui s'évertuent encore à te retrouver. Ces gens-là n'arrivent pas à comprendre qu'on ne veuille pas entendre parler d'eux, qu'on refuse ce qu'ils offrent. Sur ces enveloppes, la mention : Retour à l'envoyeur.

Enfin, c'est quand même du courrier dans la boîte à lettres où il n'y a pas grand-chose d'autre, hormis des pubs pour vous forcer à acheter des trucs qu'on n'a aucune envie de posséder. Un home cinéma, des machins de ce genre. Au fait, c'est quoi, au juste, un home cinéma ? Et si tu avais l'argent pour le payer, ce qui n'est pas le cas, qu'est-ce que tu en ferais ?

Robert Kincaid, soixante-huit ans, tira sur ses bretelles orange, qui s'effilochaient, flatta le cou de son golden retriever baptisé Highway. Il alluma une Camel et s'approcha de la fenêtre. Quelque part dans le brouillard ou au-delà, résonnait, sourde et distante, la sirène d'un remorqueur dans le port de Seattle.

Kincaid ouvrit le casier du haut d'un classeur, qui

en comptait quatre, placé près de la fenêtre. Des séries de diapositives suspendues dans des chemises transparentes, sa vie dans ces chemises, cinq photos par rangée, vingt en tout par chemise. La vie d'un homme qui avait passé son temps à chercher la bonne lumière. Il en choisit une au hasard, la tourna vers une lampe de lecture. Sur la première diapo, il reconnut un docker de Mombasa, aux muscles saillants et au grand sourire sous un bonnet tricoté. Ce devait être en 1954, vingt-sept ans plus tôt.

La seconde montrait un jeune phoque, la tête levée pour fixer l'objectif : 1971, la banquise au large de Terre-Neuve. Puis le détroit de Malacca, des hommes qui mettaient à la mer une barque à six rames, qui partaient, armés de harpons et d'une espérance vacillante, écumer des eaux épuisées par des lustres de pêche trop intensive. Ensuite, un été dans le Pays basque. Et un mois de juin glacial sur les rives de la mer de Beaufort où, jadis, Amundsen avait navigué. Un tigre émergeant des hautes herbes au bord du lac Periyar dans le sud de l'Inde. Un héron, à l'aube, rasant l'eau près de Port Townsend, une photo qui rappelait le son du saxo de Nighthawk dans *Sophisticated Lady*.

Et encore... La *campesina*, la jeune paysanne mexicaine, toute droite dans un champ, qui le regardait par-dessus son épaule, son chapeau de paille avachi, sa robe taillée dans un sac de jute, son nom et celui de son village soigneusement écrits dans la marge de la planche : MARIA DE LA LUZ SANTOS, CELAYA, MEXIQUE, 1979. Le dernier travail important que lui avait confié un magazine, une prise de vues à petit budget, qu'il avait dû arrondir de ses propres deniers pour rendre un boulot correct. Il se demanda ce qu'il était advenu de Maria de la Luz Santos, si elle habitait toujours le même village et travaillait dans les champs sous le soleil d'été.

Une autre chemise. Le Dakota du Nord, le soleil automnal qui déclinait lentement à l'horizon et un visage dur, un regard caché par des lunettes noires, derrière la vitre de la cabine d'un énorme engin agricole orange : *JACK CARMINE, PRODUCTEUR DE BLÉ, SUD DE GRAND FORKS, 1975.*

Des milliers de clichés. Robert Kincaid n'avait gardé que les meilleurs, or son jugement était excessivement sévère. Il triait, brûlait ceux qu'il mettait au rebut. Pour chacun de ceux qu'il conservait, il pouvait presque se rappeler la minute précise, l'endroit exact, la qualité de la lumière, au moment où il actionnait l'obturateur. Et même les odeurs autour de lui. Periyar lui ramenait un parfum de curry, la photo du Pays basque un fumet de viande de chèvre. Pour les prises de vues à Beaufort, l'aventure culinaire s'était avérée beaucoup moins intéressante : de la bouffe de camping la plupart du temps, parfois du poisson, le tout ingurgité sous une moustiquaire.

Il restait une diapo dans la chemise, une image floue de rocher et d'eau. Il travaillait sur les falaises d'Acadie en 1972, il avait glissé et fait une chute de dix mètres pour atterrir sur le sable, à l'instant même où il prenait sa photo. Il l'avait gardée, comme une illustration de l'audace et de la bêtise, et de l'étroite frontière qui les séparait. Sa cheville ne s'était jamais vraiment réparée, par sa faute, parce qu'il avait négligé les recommandations du médecin et repris le travail avant que l'os ait pu se ressouder complètement.

Il remit la chemise à sa place et s'accouda sur le casier ouvert, les mains sur les dossiers, les doigts entrelacés.

Sur le devant du casier, une grande enveloppe en papier bulle bourrée de lettres écrites à Francesca Johnson au fil des ans, jamais postées. Derrière l'enveloppe, une boîte pleine de clichés. Robert Kincaid la prit et la posa sur la table de cuisine, écartant les assiettes sales, les pubs et les enveloppes avec la mention : « Retour à l'envoyeur. » Il s'assit sur une chaise, ouvrit la boîte, chaussa ses lunettes à double foyer et à monture métallique, retira la feuille qui protégeait la photo du dessus.

Elle datait de seize ans. Francesca Johnson, vêtue de son vieux jean et d'un T-shirt, appuyée au piquet d'une clôture, dans l'Iowa. Elle lui souriait. Le noir et blanc lui allait bien, il rehaussait les courbes de son corps et les traits de son visage, il la restituait telle qu'elle était. Lorsqu'il avait tiré le négatif, elle avait surgi sur le papier, comme le fantôme de son passé, ce qu'elle était. D'abord le papier vierge, puis les lignes estompées d'une prairie, d'une clôture et d'une silhouette humaine, et enfin Francesca un mercredi d'août, à l'aube, en 1965. Francesca, qui sortait du bac de révélateur pour venir à sa rencontre.

Robert Kincaid étudia la photo, ainsi qu'il l'avait fait des centaines de fois au cours de toutes ces années. La boîte contenait trente-six autres portraits d'elle, mais celui-ci était son préféré. Il n'avait rien de spécial, pourtant. C'était juste Francesca au petit matin, ses seins dessinés sous le coton léger du T-shirt.

Il posa les mains sur la table à côté de la boîte, déplia ses longs doigts nerveux. Il sentit la peau de Francesca. Il sentit les courbes de son corps, un souvenir tactile que son esprit transmettait à ses mains, ou l'inverse. Sans bouger les mains, seulement par l'esprit, il pouvait promener ses doigts, doucement, sur elle, sur tout le corps de Francesca Johnson.

Francesca, son unique chance de tordre le cou à la solitude, son unique putain de chance de connaître autre chose que ces longues années de solitude et de silence, la route et le vrombrissement des moteurs d'avions qui l'emmenaient là où la lumière était bonne. Il aurait tout abandonné pour elle, le voyage et la photo, tout. Mais il y avait eu des choix à faire, qui s'étaient interposés entre eux, des choix difficiles pour elle. Elle avait pris sa décision, celle qui lui semblait juste, et elle s'y était tenue. Elle était restée auprès de sa famille, dans l'Iowa, au lieu de partir avec lui.

Seigneur, comment faire revivre ça, transformer les images en émotions, rendre ça cruellement réel et présent, là, maintenant. Son ventre contre le sien, les reins cambrés de Francesca pour se donner à lui, les éclairs derrière les rideaux de la chambre, par cette étouffante nuit d'été. Son sourire tendre, cette façon qu'elle avait de le toucher, dans le lit, le lendemain matin, ses mains qui le cherchaient sans cesse.

— Si je ne te touche pas, j'ai peur que tout ça s'en aille, lui disait-elle, en souriant et en se serrant contre lui.

Mais tout s'en était allé quand même. Un vendredi matin, lorsqu'il avait descendu le chemin qui menait à la ferme de Francesca, dans le sud de l'Iowa, alors que le soleil était brûlant, les arbres figés, et que le cœur du monde ne battait plus. Lorsqu'il avait ouvert la portière d'un pick-up baptisé Harry, qu'il s'était mis debout sur le marchepied et l'avait regardée, l'avait contemplée longtemps avant de redémarrer et d'emmener Harry jusqu'à la grand-route. Les larmes aux yeux, il avait tourné la tête une dernière fois vers Francesca, assise par terre, en tailleur, au bout du chemin, le visage caché dans ses mains, dans la chaleur et la poussière d'un été de l'Iowa.

Qui a dit que les feux finissent toujours par s'éteindre ? Peut-être vacillent-ils un peu, mais ils ne s'éteignent jamais totalement. Ce n'est qu'un mythe, bien pratique pour ceux qui ne veulent plus d'une femme dans leurs bras et de toutes les responsabilités que cela implique. Lui qui étudiait la photo de Francesca Johnson, qui promenait ses mains sur elle malgré la distance et le temps, il voulait retrouver tout ça, il la voulait nue et vibrante sous lui, murmurant des mots qu'il ne comprenait pas toujours, mais qu'il comprenait pourtant. Il en eut un début d'érection et sourit. Le seul fait de penser à elle avait encore cet effet-là sur lui.

Robert Kincaid prit son portefeuille dans la poche-revolver de son jean et en sortit un petit bout de papier plié, taché et qui tombait en lambeaux, à force d'avoir été déplié et replié pour lire l'invitation de Francesca Johnson, où elle citait quelques mots de W.B. Yeats :

Si vous souhaitez un autre dîner, à l'heure où « volent les phalènes blanches », venez ce soir après votre travail. Quand vous voulez.

Francesca écrivant ces phrases, pendant ce lointain été, alors que la touffeur d'août ne cédait pas d'un pouce, et que lui buvait du thé glacé dans la cuisine banale de la ferme. Le lendemain soir, elle avait punaisé l'invitation sur le côté d'un pont couvert, le pont Roseman, dans le comté de Madison, Iowa.

Parler simplement avec elle, lui redire ce qu'il ressentait, comment il avait vécu sa vie entière en quelques jours. La remercier, à défaut d'autre chose, la regarder, revoir son visage. Pouvoir un instant lui dire qu'il était toujours là et qu'il l'aimait toujours. Impossible, ça n'avait jamais été possible, elle avait une famille et tout ça.

Il se renversa contre le dossier de la chaise, passa la main dans ses cheveux, mal peignés comme d'habitude et qui couvraient son col, trop longs de cinq bons centimètres. La fin, les encore-une-fois, et la route qui était toujours là. Les derniers cowboys devaient refaire tournoyer la grande corde. Ils le devaient. Monter le cheval fourbu jusqu'à ce qu'il s'effondre et que meure avec vous l'arbre ébranché de votre lignée.

S'accroupir là, avec le brouillard sur l'eau, le brouillard devant sa porte, et les traces de toutes les années à venir. S'accroupir au bord de... quoi ? Rien.

Il se servit une tasse de café, s'approcha du placard qu'il ouvrit. Sur les étagères, son matériel : les cinq objectifs protégés par leur capuchon et rangés dans leur trousse en cuir souple, les deux Nikon F et le Rangefinder, enveloppés dans un chiffon épais. Des appareils de professionnel, anciens, abîmés, éraflés par les boutons-pressions, les fermetures éclair, grêlés par le sirocco chargé de sable, cognés sur les récifs, malmenés par les cahots de Harry et les vols transcontinentaux en Afrique ou en Asie, ou ailleurs.

Dans le freezer du frigo, il y avait son dernier rouleau de pellicule Kodachrome II 25. Quand la firme avait cessé de fabriquer ces films, il en avait acheté cinq cents rouleaux qu'il avait tenus au froid, les dorlotant et les utilisant avec parcimonie, les gardant pour lui, puisque les magazines avaient adopté le Kodachrome 64.

Voilà donc tout ce qui restait, comme il l'avait toujours su. Le brouillard sur l'eau, le brouillard devant sa porte, et son ultime rouleau de pellicule. L'essentiel : le sang et les os, la chair sur les os et les pensées dans la tête, tout se réduisait en cendres quand venait la fin. Rien de plus, et impossible de changer ça, la ruée formidable de ce qui a été écrit au commencement et conservé par les Gardiens de la destinée. Quelle étrange, solitaire, silencieuse existence. Depuis le début elle était ainsi et demeurait la même. Hormis ces jours éblouissants, ces quatre jours de 1965.

A part ça, les falaises d'Acadie et les rivages de la corne de l'Afrique pendant des années, les crépuscules d'un village de montagne où se fondaient les deux hémisphères, les baignades joyeuses dans les marécages de la jungle avec la fille d'un marchand de soie, son rire qui repousse un moment le silence. Et toujours, toujours, la conscience de la clameur du temps, de l'altération et de la flétrissure de cette chose curieuse qu'on appelle la vie ; savoir combien tout ça est transitoire. Travailler, manger, marcher droit avant de chanceler. Voir tout ça condensé dans un classeur de quatre casiers de pellicules imprimées aussi fugitives que soi. Seules restent les images, témoignage muet des anciennes célébrations.

L'Inde
ou la Corne de l'Afrique,
ou le détroit de Malacca,
toujours pareil :
des hommes sur le sable,
ou sur des bateaux
dans les vagues du rivage.
Les uns s'en vont
les autres les regardent.
Et demain
demain...
ils recommenceront.

Maintenant qu'il avait cette idée en tête, elle ne le quittait plus. Il alla se poster devant la fenêtre et contempla le brouillard. Même le matin paraissait las, pourtant il commençait à peine.

Robert Kincaid ouvrit le tiroir d'un autre placard. Trois chèques qu'il n'avait pas encaissés, paiement de prises de vues assommantes dans des écoles et des expositions d'art, pour un total de sept cent quarante-deux dollars. On était loin de l'époque glorieuse, des longues expéditions pour le *National Geo-*

graphic qui l'avaient emmené partout où la lumière était bonne.

Quatre-vingt-sept dollars supplémentaires, en billets. Dans la boîte à café, de la monnaie, peut-être une cinquantaine de dollars. Le nouveau moteur de Harry n'avait que cent mille kilomètres. Rouler tranquillement, sans trop se charger, dormir dans le pick-up au besoin. C'était possible, il pouvait aller là-bas encore une fois, avec Highway.

– Tu crois qu'on devrait ? Juste aller là-bas, voir le pont Roseman, remuer des vieux souvenirs ? Rien d'autre, simplement être dans son espace à elle. Ça vaudrait mieux que de rester là à me lamenter sur mon sort, à regarder ce que l'automne inflige aux feuilles et aux papillons, à pleurer sur ce qui n'existera jamais.

Highway, qui remuait la queue, la langue pendante, vint s'asseoir près de Robert Kincaid.

– Je me demande comment elle est, maintenant. Je me demande si elle a beaucoup changé.

Les pins au-dehors, emmitouflés de brume qui tombait goutte à goutte de leurs branches. Le battement de la queue du chien sur le plancher.

Vivre seul pendant presque soixante-huit années, par choix et par la force des choses ; les pensées qui tournent en rond, parce qu'il n'y a personne pour les écouter ou les comprendre si elles étaient exprimées. Parfois, pourtant, elles s'écoulent à tort et à travers de l'esprit jusqu'au bout de la langue. Comme si ces cogitations n'en pouvaient plus du silence, et que les mots devaient sortir pour que d'autres pensées prennent leur place.

Un jour ou deux, voire quelques heures, de solitude et de silence absolus suffisent, pour la plupart des gens, à mettre le processus en branle. Robert Kincaid avait vécu de cette manière une existence entière. Il se parlait à lui-même quand il préparait un cliché qu'il voulait prendre, ou qu'il faisait sa tambouille, il marmonnait des commentaires sur les obturateurs ou les épices, le matériel photo ou le fromage. Le chien était devenu l'heureux auditeur des pensées extériorisées de Kincaid, il se fichait pas mal de leur signification, le son de ces mots, qui lui étaient ou non adressés, le contentait.

— Ses gosses sont adultes, ils sont sans doute partis. Mais je ne prendrais pas le risque de la voir. Je ne saurais pas quoi faire si je la voyais. Et elle, je ne sais pas ce qu'elle ferait. On n'a eu que ces quatre jours, bon Dieu, peut-être qu'elle a tout oublié. Elle n'en a qu'un vague souvenir qu'elle n'aime peut-être plus se rappeler.

Robert Kincaid n'était pas dupe. Francesca Johnson et lui ne formaient qu'un seul être, depuis toujours. Il n'en doutait jamais vraiment. Sur tous les chemins qu'il avait parcourus pendant ces seize dernières années, elle était là. Il savait, il en était certain, que c'était pareil pour elle. Mais quelquefois ça faisait moins mal d'imaginer qu'elle ne pensait plus à lui, ça l'aidait à endurer l'épieu planté dans son cœur lorsque lui songeait à elle.

Un grand amour en un instant, une fraction du temps qui dansait, alors que le vent le poussait dans le dos, et que l'univers hésitait sur ce qu'il s'apprêtait à faire. Le temps qui dansait, alors que l'éternel voyageur voyait enfin brûler les feux de son foyer, que les trains s'arrêtaient, les sifflets des locomotives se taisaient. Alors que lui cessait un instant d'errer le long de l'antique tour de Rilke.

Le frigo se mit à ronfler. Robert Kincaid fuma une autre Camel, toussa à deux reprises et contempla le matin par la fenêtre. Il se remémorait la cuisine de la vieille ferme dans l'Iowa. Il avait été le témoin ultime et presque infaillible de la vie en général, et de son œil de photographe-né, expérimenté, semblable à l'objectif d'un appareil, il revoyait tout : la cuisine, les détails. Le linoléum fendillé, la table en formica, la radio à côté de l'évier, les phalènes autour du plafonnier.

Et Francesca, là, qui le regardait, dans sa robe rose et ses sandales blanches. Francesca Johnson, qui prenait le plus grand risque de son existence et qui venait à lui, et lui à elle. Si le péché existait, le leur était partagé, ils en portaient chacun leur part. Adossé au frigo, ce soir-là, il la regardait, il regardait l'ourlet de sa robe sur ses fines jambes brunes. Et puis l'élan impérieux de la nature primitive – qu'on la bénisse et la maudisse à la fois –, cette nature primitive qui remportait la bataille, et les tangos des rues, lointains mais qui se rapprochaient d'eux.

La nature primitive, haletante entre les draps froissés du lit, par une étouffante nuit d'été, ruisselante sur le ventre de Francesca, son visage et ses seins, et la sueur qui coulait sur ses épaules à lui, sa figure, son dos et son ventre aussi. La nature primitive et ses douces véroniques, l'envol de la cape rouge du torero et le tumulte des foules qui ne voyaient rien mais les acclamaient pourtant. Toutes ces années de désir refoulé pour Francesca, et pour lui aussi, eux deux qui s'unissaient encore et encore, tandis que les bougies pleuraient leurs larmes de cire, que les averses éclataient et s'interrompaient, et qu'une aube timide glissait sur la campagne du sud de l'Iowa.

Aux premières lueurs de l'aurore, il l'avait emmenée dans le champ et lui avait demandé de s'appuyer contre le piquet de la clôture. Et là, il avait fait d'elle une image en noir et blanc rangée à présent dans une boîte sur une table, dans une autre cuisine, par un matin brumeux à Seattle.

Refaire tournoyer la grande corde. Harry dégoulinait d'humidité et sentait le tabac. Les mêmes gestes routiniers que seize ans plus tôt, volontairement. La valise coincée contre la roue de secours, attachée avec un sandow. Pas de guitare, cette fois ; il n'en jouait plus depuis longtemps. Si, à la réflexion, il alla la chercher dans la cuisine, à côté du frigo où elle était remisée. L'étui était moisi, on pouvait se demander ce qu'il en était de la guitare, mais il ne prit pas la peine de vérifier. Il porta l'étui jusqu'au pick-up, le plaça près de la valise et recouvrit le tout d'une bâche. La guitare, quand il serra le sandow, émit du fond de son étui un son plutôt mélodieux, peut-être pourrait-il en jouer à nouveau s'il la sortait de son cachot et l'accordait.

A une époque, Robert Kincaid aurait sauté d'un bond au bas du pick-up, mais aujourd'hui il s'assit sur le rebord de la plateforme, prit d'abord appui sur sa bonne jambe et posa ensuite par terre le pied qui le trahissait s'il ne faisait pas attention.

Une seule sacoche, avec un Nikon F et un seul objectif – 105 millimètres, son favori –, et son ultime rouleau de Kodachrome II. Juste ce rouleau pour l'expédition qu'il appellerait La Dernière Fois.

Thermos, appareil photo, valise, trois cartouches de Camel, une caisse de bière chinoise achetée dans une boutique sur les docks. Un vieux sac de couchage. S'il était à court d'argent, il camperait dans le pick-up. L'exemplaire dépenaillé des *Vertes Collines d'Afrique*, le livre qu'il avait emporté avec lui en 1965 et n'avait jamais lu depuis.

Il s'inspecta : bottes Red Wing aux épaisses semelles, jean délavé, chemise kaki, ses bretelles orange. Le parka marron derrière le siège, avec une poche déchirée et une tache de café sur la manche droite. L'uniforme immuable, fonctionnel, du trimardeur.

Highway assis sur le siège, près de lui. Côté passager, sur le plancher, de l'eau et la gamelle en fer-blanc du chien, un énorme paquet de croquettes et la boîte à café remplie de pièces de monnaie.

Un autre itinéraire, cependant. Eviter le nord du pays où, à cette période de l'année, les nuits étaient trop froides. En fait, pas d'itinéraire précis, puisqu'il était inutile désormais de planifier. Le sud, direction l'Oregon pour commencer, ensuite la Californie, puis l'est. L'Iowa n'avait pas changé de place, à sa connaissance, et s'il mettait le cap à l'est, au nord de la Californie, ça irait très bien.

Se balader éventuellement à travers le Dakota du Sud et revoir les Black Hills, comme il l'avait fait autrefois quand il se rendait dans le comté de Madison, Iowa. Il y était retourné en 1973, pour un reportage sur des fouilles archéologiques, l'un de ses derniers boulots destiné à un grand magazine. Le vieux bonhomme acariâtre qui lui avait servi de guide était peut-être toujours dans les parages. S'arrêter lui dire bonjour, aller dans cette taverne dont il avait oublié le nom et écouter l'accordéoniste, s'il était encore là.

Robert Kincaid s'assit bien droit sur son siège et regarda à travers le pare-brise, s'imprégnant de tout ce qui était là devant ses yeux et de tout ce qu'il n'avait jamais vu.

– Tu sais, le chien, personnellement je suis un peu fatigué de me vautrer dans la mélancolie et le malheur. Peut-être que toi aussi, tu en as marre. Radoter sur le passé, me traîner, contempler dans des dossiers ce que j'ai été et ce que j'ai fait. Maudire la cruauté du vieillissement, baisser les bras et laisser ma vie devenir une vraie mocheté. Ça ne me ressemble pas. La réalité, c'est une chose, mais dilapider ses rêves, c'est mourir à petit feu.

Il s'interrompit, tourna la tête vers le chien.

– Tu as déjà entendu ces vers merveilleux de l'autre Cummings ? Pas notre ami Nighthawk, mais M. e. e. cummings, qui préférait écrire son nom en minuscules. Voyons voir... je ne me rappelle pas bien... ça parle de docteurs et de cas désespérés et de mondes meilleurs qui existent quelque part, pourvu qu'on les cherche.

Il sourit au chien.

– Je reviens tout de suite.

Dans la maison, Robert Kincaid prit une sacoche sur l'étagère de la penderie et un pied Gitzo, en assez piteux état, derrière les quatre chemises suspendues à la tringle. Au fond du placard, il trouva un pull à col roulé en laine noire qu'il avait acheté en Irlande, des années plus tôt, et en enveloppa le Gitzo. Il prit aussi sa veste de photographe sur un portemanteau, l'enfila.

Il rangea les appareils photo et les accessoires dans la sacoche, avec soin. Il avait encore quarante-trois rouleaux de pellicule noir et blanc Tri-X dans un tiroir de la cuisine, alignés sur une plaque gravée par un prestigieux magazine photographique :

A ROBERT L. KINCAID
POUR L'ENSEMBLE D'UNE ŒUVRE MAGISTRALE
DANS L'ART PHOTOGRAPHIQUE
Animus non integritatem sed facinus cupit
L'âme aspire non à la pureté mais à l'aventure.

Il mit les pellicules dans un sac plastique, jeta un regard circulaire. Le pied et le pull sur une épaule, la sacoche sur l'autre, il ferma la maison en veillant à ce que la porte-moustiquaire ne claque pas.

Il regagna le pick-up.

– Tu es paré, le chien ? dit-il en démarrant. Allons voir ce qu'on a manqué en cours de route.

Un maigre soleil s'escrimait contre la brume, lorsque Robert Kincaid embarqua sur le ferry qui traversait le Sound pour rejoindre le continent. La proue fendait l'eau sans effort.

Il se retrouva dans les rues qui quittaient la ville, longea le port, le parc où Nighthawk et lui s'asseyaient parfois sur un banc pour parler de ce qu'ils croyaient être la vérité de leurs existences respectives. A Olympia, il encaissa les chèques et envoya une carte postale à Nighthawk, disant qu'il partait pour quelques semaines. Les vieux se faisaient du souci, et son ami risquait de se poser des questions et de s'inquiéter pour lui.

Il décida de suivre le littoral au sud et de bifurquer vers l'ouest près de Maytown, pour s'enfoncer dans la campagne, celle qu'il aimait : petites routes et villages. Le chien avait passé la tête par la vitre ouverte, ses oreilles volaient au vent.

Et ce fut ainsi qu'en novembre 1981, alors que venait la fin et les encore-une-fois, qu'il était dans l'impasse, ce fut ainsi que Robert Kincaid refit tournoyer la grande corde et prit la route pour l'Iowa et les ponts couverts du comté de Madison.

2

Francesca

Francesca Johnson ne se sentait pas vieille et ne faisait pas ses soixante ans. Ses amis lui disaient souvent que le temps avait été anormalement clément avec elle. Que ses cheveux noirs n'avaient même pas grisonné, hormis quelques fils d'argent apparus autour de la quarantaine. Qu'elle avait gardé intacte sa silhouette.

Richard aussi lui en avait parlé.

– Frannie, on vieillit tous, mais toi, je crois que tu ne changeras jamais.

Pourtant, bien sûr, elle avait changé. Elle s'examinait dans le miroir de sa coiffeuse, voyait que ses vêtements tombaient bien sur elle. Une alimentation saine, de la vigilance, des chapeaux à larges bords et une marche quotidienne, souvent une promenade jusqu'au pont Roseman et retour, six kilomètres en tout, la maintenaient en forme. Surtout, il y avait toujours la pensée qu'elle pourrait le revoir, que

Robert Kincaid, d'une manière ou d'une autre, pourrait revenir. Et plus que tout peut-être, cela nourrissait sa volonté de rester aussi proche que possible de ce qu'elle était autrefois. Elle voulait qu'il la reconnaisse, elle voulait qu'il la désire autant qu'il l'avait désirée à cette époque-là.

Son instrument de mesure était une robe rose, légère, achetée en 1965. Depuis seize ans, elle l'essayait à l'occasion. Si l'étoffe la moulait un peu trop, elle se mettait au régime jusqu'à ce que la robe glisse souplement sur elle. Ainsi vêtue, elle tournoyait lentement devant le miroir de sa chambre, souriait et disait à son reflet :

– Je ne peux pas faire mieux, mais ce n'est pas si mal pour une fille de la campagne.

Puis elle se tirait la langue et riait tout bas des compliments qu'elle s'adressait. Et la robe repliée et enveloppée dans du plastique retrouvait sa place sur la plus haute étagère de l'armoire.

Richard était mort l'année précédente, la ferme n'était plus la même. Le bétail vendu, les terres louées. Les enfants devenus adultes et partis, là où s'en vont les enfants quand vient le moment. Pas beaucoup d'argent, mais de quoi vivre grâce au fermage, aux économies du ménage et à la modeste assurance-vie souscrite par Richard.

Cinq mois avant le décès de Richard, la sœur de

Francesca, en Italie, était tombée malade et avait réclamé sa présence. Elle était partie pour Naples, dans la maison de son enfance et, six jours plus tard, avait enterré Sophia dans le vieux cimetière où reposaient leurs parents. Le jour du départ, elle s'était accoudée une dernière fois sur la fenêtre de son ancienne chambre pour contempler l'entrelacs des rues d'une ville qu'elle ne reconnaissait plus. Elle pensait à Niccolo, l'homme qui le premier lui avait révélé ce que pouvait être une femme, lorsqu'elle était toute jeune. Il avait vingt ans de plus qu'elle, il était professeur d'art à l'université.

Et maintenant, Richard reposait lui aussi au cimetière de Winterset, auprès de ses parents. Les rangées solennelles de parents et d'enfants, bien alignées, les fosses dans la terre pour témoigner de ce qui avait disparu. Richard avait acquis deux caveaux, il présumait que Francesca le rejoindrait dans la tombe. Il se trompait, ainsi que les événements ultérieurs le démontreraient.

Richard. Le bon, le gentil Richard. Honnête et aimant à sa façon maladroite. Mais cela n'avait pas été suffisant pour elle. La Francesca que Richard avait connue n'était qu'un trompe-l'œil, le masque d'une autre femme cachée sous l'épouse de fermier dévouée et la mère affectueuse. Tant de couches de vernis, tant de mensonges en quelque sorte. Une femme complètement différente de celle qui, le matin, faisait frire les œufs et le bacon, tandis que Richard écoutait les cours du marché que diffusait le transistor de la cuisine. Ce transistor qui jouait *Tangerine* et *Autumn Leaves* par une étouffante nuit d'août en 1965, quand elle dansait dans la cuisine avec un homme nommé Robert Kincaid qui était entré dans sa vie, porté par le vent d'été, balayant tout sur son passage.

Debout devant le fourneau, elle pensait mon Dieu, s'il savait. Si Richard se doutait de ce qui s'était passé dans cette cuisine. Pouvait-il l'imaginer là, nue et faisant l'amour avec un photographe aux cheveux trop longs, venu d'un autre espace que le temps présent ? Les serviettes en papier qui volaient dans la cuisine et tombaient sur le sol, pendant que Richard Kincaid la couchait sur la table ? Non. Richard n'y aurait même jamais songé. Tant de mensonges et de mensonges, tant de couches de vernis.

Pourtant, Richard avait eu l'intuition de tout ça. Ses dernières paroles, sur son lit de mort, prononcées d'une voix sourde et qui semblait lui écorcher la gorge, quelques heures à peine avant qu'il ne sombre dans le coma :

– Francesca, je sais que tu avais tes rêves, toi aussi. Je suis désolé de n'avoir pas pu te les offrir.

Péniblement, avec ce qui lui restait de force, Richard en disant ces mots avait bougé sa main sur le drap de son lit d'hôpital, et elle avait vu dans son regard devenu larmoyant, vieux, qu'il essayait d'en dire plus que ce qu'exprimaient ses paroles. Elle avait pris sa grosse main rêche, y avait posé sa joue. Durant un instant, et seulement cet instant-là, elle avait regretté ce qu'elle avait fait avec Robert Kincaid. Et, tout autant, elle avait regretté que Richard ne puisse jamais savoir ce qui se cachait en elle, dont elle n'était même pas vraiment consciente, jusqu'à ce qu'un homme nommé Kincaid entre dans sa vie.

Cependant, malgré tout ce qu'il n'avait pas été et n'aurait jamais été, Richard Johnson en avait deviné davantage qu'elle ne le pensait. Il savait quelque chose qui lui faisait terriblement mal – il n'était pas dans les rêves de Francesca ; il avait été son mari pendant plus de trente ans sans réussir à atteindre la femme dissimulée sous l'apparence de l'épouse qui partageait sa vie de labeur et lui avait donné des enfants.

La maison était silencieuse. Francesca déplia *The Madisonian*, le journal régional, et lut les nouvelles. Les dîners organisés par la paroisse, les matchs de football, les mariages et les naissances et les décès, les événements d'un monde où elle avait vécu pendant trente-six ans et qui n'était toujours pas le sien.

Six mois après la mort de Marge Clark, Floyd l'avait invitée à dîner. Elle avait poliment refusé. Il avait renouvelé son invitation au moment de la foire du comté, sous prétexte qu'il y aurait le concours du plus beau veau suivi d'un barbecue. Elle s'était efforcée de l'éconduire en douceur, sous prétexte qu'elle était débordée et attendait la visite de ses enfants. Floyd Clark n'avait pas insisté. Mais il était courtois quand ils se croisaient au supermarché. Il maigrissait, apparemment les bons petits plats de Marge lui manquaient.

Elle reposa le journal et ôta ses lunettes, contemplant au loin les chaumes de l'automne, laissant Robert Kincaid s'insinuer dans son esprit. Il était là en permanence, quoique à certains moments, fugaces – certains jours, fugitifs –, il semblât n'être qu'une chimère à laquelle elle avait si souvent songé que c'était devenu réel. Mais il y avait les photos d'elle qu'il lui avait envoyées, les photos de lui et celles qu'il avait faites, publiées par le *National Geographic*.

Elle se demandait s'il voyageait encore, ou s'il était simplement quelque part. Parfois, elle regardait les traînées blanches d'un avion très haut dans le ciel et imaginait Robert Kincaid, tout là-haut, en partance pour Djakarta ou Nairobi. Peut-être aurait-elle pu aller dans le Nord-Ouest et se mettre à sa recherche. Ou peut-être valait-il mieux se contenter de vivre avec le souvenir qu'elle avait de lui. Peut-être ces quatre jours étaient-ils tout ce à quoi ils avaient droit.

Elle aurait pu le retrouver, il aurait scruté son visage, fouillé sa mémoire (Oh oui, la femme de l'Iowa, les ponts couverts), et il aurait été poli, réservé comme à son habitude. Ils auraient bu un café dans une brasserie et bavardé quelques instants, puis il aurait consulté sa montre, se serait excusé en disant qu'il avait telle ou telle obligation.

Et il l'aurait laissée là, toute seule, dans un box aux banquettes de vinyle rouge, si loin de chez elle, regrettant d'avoir entrepris ce voyage. Et obligée ensuite de vivre avec la tristesse au cœur, sachant qu'elle n'avait été qu'un agréable et bref intermède dans l'existence d'un vagabond. Continuer à vivre bien que tout ce qui l'avait soutenue au fil des ans fût anéanti. Continuer à vivre dans le silence d'une vie sans consistance.

Non. Ce n'était pas vrai. Elle en était sûre, la plupart du temps. Mais ça remontait à des années et, sans les photos du *National Geographic*, elle savait que ce qu'elle se rappelait de son visage s'estomperait. Pourtant c'étaient de vieilles photos, peut-être ne le reconnaîtrait-elle même pas. Il devait avoir soixante-huit ans. Un léopard de soixante-huit ans, c'était difficile à imaginer. Il était peut-être malade, ou diminué, et ne voudrait pas qu'elle le voie dans cet état.

Francesca monta à l'étage dans sa chambre, prit la robe rose sur l'étagère de l'armoire. Elle avait installé dans un coin de la pièce le tourne-disque que Carolyn avait négligé d'emporter quand elle était partie.

Vêtue de la robe rose, elle positionna l'aiguille sur le disque, écouta une fois de plus *Autumn Leaves*, et se regarda dans le miroir, souriant et se souvenant de l'homme nommé Robert Kincaid qui l'avait aimée comme jamais elle n'avait cru pouvoir être aimée.

C'était l'heure de sa promenade. Elle se changea, enfila un jean et une chemise en toile, descendit l'escalier, jeta un coup d'œil au calendrier et se dit que ce serait bientôt son anniversaire.

Au moment où elle tournoyait lentement devant son miroir, Robert Kincaid roulait tranquillement dans un vieux pick-up baptisé Harry, observait le paysage et parlait à un chien qui s'appelait Highway. Tandis qu'à l'approche du Pacifique il prenait la

44

direction du sud, Robert Kincaid, reporter photographe ainsi qu'il se qualifiait autrefois, fléchit sa mauvaise cheville et regretta à nouveau, comme si souvent, tout ce qui n'avait jamais existé.

3

Carlisle McMillan

Les méandres, les hauts et les bas d'une existence quelque peu marginale avaient amené Carlisle McMillan à vivre dans le comté de Yerkes, à l'ouest du Dakota du Sud. Le chemin détourné qui l'avait conduit jusqu'à ce lieu désolé et les événements remarquables dont il serait au centre – qui seraient connus comme la Guerre du Comté de Yerkes – sont une autre histoire qui reste à raconter.

Pour l'instant, contentons-nous de dire que Carlisle McMillan était un maître charpentier qui avait appris son métier avec un vieil artisan dans le nord de la Californie. Fatigué de la ville, déprimé à force d'user son talent et son amour-propre en travaillant sur des lotissements bâtis à la va-comme-je-te-pousse, Carlisle avait pris ses économies et s'était lancé dans un long périple, au petit bonheur la chance, à travers l'Amérique. Dans le comté de Yerkes, il avait trouvé ce qu'il cherchait, un endroit aussi éloigné que possible des assauts d'un monde qu'il ne comprenait pas et que, le temps passant, il ne se souciait guère de comprendre. Sa première année dans le Dakota du Sud, il l'avait consacrée à reconstruire une maison délabrée entourée de quinze hectares de terre, à environ treize kilomètres au nord d'une ville que nous appellerons Salamander.

Comme la plupart des existences, la sienne avait été façonnée par le hasard autant que par sa propre volonté, par accident autant que par son intelligence. Une décision par-ci, une autre par-là. Certaines judicieuses, rétrospectivement, d'autres regrettables. Les conséquences de ses choix déterminées par un effort rationnel mêlé à des imprévus qui lui tombaient dessus les jours où il s'y attendait le moins. Le roulis d'une existence ordinaire, en d'autres termes. L'incertitude, en un mot.

Depuis le commencement, il avait vécu avec l'incertitude, plus que la majorité des gens. Il était né trente-cinq ans auparavant, fils illégitime d'une femme nommée Wynn McMillan et d'un homme dont elle ignorait ou avait oublié le patronyme. Elle en avait si peu de souvenirs et lui en parlait si peu qu'il n'avait de son père qu'une image vague et changeante.

Aussi, dans ses méditations d'enfant, et même plus tard, il ne voyait de cet homme qu'une silhouette sombre, en lame de couteau, sur une moto, l'une de ces grosses cylindrées conçues pour les longues randonnées. La silhouette roulait sur l'autoroute côtière au sud de Carmel, découpée dans la lumière du soleil couchant, elle franchissait un pont jeté entre les falaises creusées par le Pacifique. Et la femme derrière le motard ? Qui le tenait par la taille, les cheveux ébouriffés par le vent ? Elle avait dû être la mère de Carlisle McMillan, autrefois.

Elle et cet homme n'étaient restés ensemble que quelques jours, mais quelques jours avaient suffi pour engendrer un petit garçon baptisé Carlisle.

Elle se souvient que le sable, où elle était étendue avec lui, était chaud. Elle n'a jamais oublié ça, la chaleur du sable en cette fin de septembre. Et elle se souvient de l'attitude étrange, réservée, de cet homme. Il avait presque l'air hanté, une caractéristique qu'elle retrouverait ensuite chez son fils. Elle disait qu'il bougeait comme un grand oiseau, qu'il savait des choses secrètes et entendait une musique assourdie émanant d'un lointain passé qui n'appartenait qu'à lui. Pourtant, elle n'arrivait pas à se rappeler son nom. Elle croit qu'il le lui a dit, une fois, mais ils étaient assis près d'un feu, le soir, dans le limbe de leur vies respectives, ils buvaient de la bière de ménage. Et elle ne se rappelle pas son nom.

Comme elle le lui a dit un jour :

– Un nom, ça ne semblait pas important à cette époque. Je sais que c'est dur à comprendre pour toi, Carlisle, mais c'était ce qu'on ressentait. J'en souffre, plus pour toi que pour moi.

L'histoire se résumait à ça. Elle la lui avait racontée quand il avait douze ans. Ils étaient sur les marches du perron de la maison qu'elle louait à Mendocino. Elle serrait dans ses bras son garçon si mince, si réservé, appuyait sa tête contre la sienne, le parfum de ses cheveux fraîchement lavés se mêlait à son odeur maternelle. Il l'écoutait et l'aimait pour son absolue franchise, pour le fait que l'avoir mis au monde la rendait heureuse, et même pour l'évocation perturbante d'abandon sexuel, mystique, qui teintait ses paroles quand elle parlait de cet homme. Quoique Carlisle, à son âge, avait de la peine à imaginer ce genre de chose, surtout concernant sa mère.

Tout ça était très bien, son honnêteté et sa tendresse, mais ça ne suffisait pas. Dans le secret de son cœur, Carlisle McMillan désirait alors avoir un père, capable de lui assurer que tous les sentiments chaotiques et violents qui bouillonnaient en lui finiraient par s'organiser pour former un homme cohérent, utile.

Et longtemps, il fut en colère. Furieux contre l'ambiguïté, contre Wynn McMillan qui s'était accouplée à une silhouette indistincte, laquelle était ensuite partie à moto vers le nord, sur les routes bordées d'arbres embrasés par l'automne, et s'était tout simplement évaporée. Il lui avait fallu vivre un peu, réfléchir, mais il avait fini par se mettre en paix avec tout ça. Du moins, avec une grande partie de cette histoire.

Sa mère et cet homme s'étaient unis à l'automne 1945, alors que la Deuxième Guerre mondiale venait juste de s'achever. Le monde titubait, enivré par les vapeurs grisantes de la victoire, la vie mise entre parenthèses et les passions laissées en souffrance. Ajoutons à cela la joyeuse insouciance de Big Sur, la bohème, les poètes et les artistes, dont Henry Miller récemment rentré de Paris qui se trimballait sur la route de Partington Ridge en colportant ses aquarelles. Du coup, ça devenait compréhensible. Quand il atteignit ses trente ans, Carlisle se dit qu'il se serait sans doute comporté de la même manière.

Toutefois il restait cette ambiguïté, ce sentiment d'être incomplet, et la curiosité que lui inspirait cette encoche dans l'arbre généalogique dont il était issu. Certains prétendaient qu'il avait l'air à moitié indien – les pommettes et le nez proéminent, les longs cheveux bruns qu'il attachait parfois avec un bandana rouge, style Apache. Il aimait bien cette idée, quoiqu'il n'eût aucun moyen de vérifier si elle était vraie ou fausse. Quand les gens lui demandaient s'il avait du sang indien, il ne répondait pas, haussait les épaules et les laissaient tirer leurs propres conclusions.

Et il y avait le dialogue en morse. C'est ainsi qu'il l'appelait. Ça avait commencé très tôt et ne l'avait pas quitté depuis. Un phénomène d'origine inconnue, enfoui au plus profond de lui. Des signaux intermittents, faibles et lointains, émis peut-être par les hélices de son ADN, qui résonnaient lorsque le silence se faisait en lui. Il les sentait, ces signaux, plus qu'il ne les entendait. Comme si un doigt de velours jouait sur un télégraphe poussiéreux dans une gare fantôme : tap... pause... tap... pause... tap, tap...

Ce n'était que l'une des séquences possibles, il y en avait d'autres.

D'abord ça lui avait paru invraisemblable, sans doute chimérique, mais il s'imaginait que son père lui transmettait un message, au ralenti, par la voie du sang. Voilà ce qu'il pensait : *mon père ignore mon existence, mais ses gènes la connaissent, car ils sont une part de moi. Les gènes savent que j'existe, sa race sait que j'existe. Je suis de sa race et je porte ses empreintes génétiques. Donc, d'une certaine manière, il le sait.* Un raisonnement d'une logique discutable, mais qui n'était pas absurde lorsqu'on ne le poussait pas trop loin.

Ainsi Carlisle arriva-t-il à croire que son père était là, quelque part. Lorsque les signaux débutaient, il écoutait. Il écoutait avec une extrême attention et répondait :

– Qui es-tu ? Bon Dieu, monte le son, reste en ligne. Dis-moi quelque chose de toi, que j'en apprenne davantage sur moi. Qu'est-ce que je sais, sans savoir que je le sais ?

Mais les signaux étaient infimes, ils s'évanouissaient sitôt qu'ils commençaient, et après Carlisle se sentait toujours un peu abandonné, malheureux.

Pour remplacer un père qu'il avait sans l'avoir jamais eu, puis un beau-père avec qui il n'avait pas tissé de liens, Carlisle avait rencontré un vieil artisan, Cody Marx, qui était devenu pour lui un substitut de père. C'était de Cody Marx que Carlisle McMillan tenait son talent de charpentier et sa vision du monde, sa façon de faire bien les choses. Travailler et ne laisser passer aucun défaut, aller au bout, en tout, disait Cody.

Un an après s'etre installé dans le comté de Yerkes, alors que sa maison était quasiment restaurée, Carlisle s'assit à une petite table à tréteaux qu'il avait fabriquée avec des restes de bois de charpente, et écrivit à sa mère.

14 octobre

Chère Wynn,

J'espère que tu vas bien. Est-ce que tu as de nouveaux élèves pour tes leçons de violoncelle ? Tu travailles toujours à la galerie d'art ? Ma maison est maintenant bien agréable, grâce à l'enseignement de Cody comme toujours, et je me suis trouvé du boulot par-ci par-là. En fait, beaucoup de boulot. Il y a des vieux bâtiments dans le coin, avec des charpentes aux poutres en bon état, et la plupart des fermiers, qui préfèrent les structures métalliques, sont bien contents de me les refiler juste pour le prix de la démolition et du déblaiement. Du coup, je récupère pas mal de beau bois ancien.

J'en ai parlé pendant des années, et maintenant il est peut-être temps que je me mette à rechercher mon père. Je sais que ça date de longtemps, mais essaie encore, fais un effort. Tout ce que tu pourras te rappeler m'aidera. T'a-t-il dit où il allait quand il a quitté Big Sur ? Tu ne te souviens pas de la marque de sa moto ? Tu m'as dit un jour qu'il était dans l'armée pendant la Deuxième Guerre mondiale. Dans quel corps ?

Salue Mme Marx de ma part, si tu la vois. Au fait, est-ce que tu as vraiment connu Henry Miller ?

Affectueusement,

CARLISLE

4

L'homme à la moto, encore lui

Le chuintement des pneus, les arbres qui défilaient comme s'ils couraient alors que Harry restait immobile. C'était bon de retrouver ça, la route, même si un amoncellement de nuages obscurcissait le paysage et qu'une fine pluie tombait.

Dans un parc national, juste au nord de la Columbia, Robert Kincaid s'arrêta. Sa mauvaise cheville lui faisait mal depuis deux heures, elle était toute raide et avait besoin d'exercice. Highway sauta à terre, renifla l'herbe et les arbres et les tables de pique-nique, levant la patte pour marquer un territoire qu'il ne reverrait plus jamais.

Kincaid fit quelques pas dans l'herbe mouillée, se courba pour masser sa cheville, continua à marcher jusqu'à ce que l'articulation s'assouplisse et ne soit presque plus douloureuse. Quinze minutes après, il siffla pour prévenir Highway qu'il était temps de se remettre en selle et de repartir. Il ouvrit la portière côté passager, attendit que le chien soit bien installé, et grimpa à bord du pick-up en une enjambée, comme il l'avait fait pendant près de trois décennies. Sans cette fichue cheville et les brusques étourdissements dont il souffrait périodiquement depuis quelques mois, Robert Kincaid se serait senti aussi en forme que vingt ans en arrière. Il était toujours mince et musclé, grâce aux exercices physiques et à une bonne hygiène alimentaire.

Au début, il avait traité ces étourdissements par le mépris, pensant qu'il s'agissait d'une séquelle du virus qu'il avait attrapé des années auparavant, en Inde, et qui attaquait l'oreille interne. A l'époque, il avait passé quatre jours couché dans un village au sud de Mysore, en proie au vertige, incapable de tenir debout et rampant jusqu'à un trou dans le sol, qui servait de W.-C.

Deux mois plus tôt, un médecin de Seattle l'avait examiné. Les mains dans les poches de sa blouse blanche, il avait scruté Robert Kincaid, assis sur la table d'examen. Kincaid n'avait pas consulté de médecin depuis neuf ans, depuis qu'il s'était fracturé la cheville.

— Je ne peux pas déterminer avec certitude la cause de vos étourdissements. Peut-être une labyrinthite, si c'est bien cette infection virale que vous avez eue en Inde. Néanmoins, ça semble réglé depuis longtemps, et vos symptômes actuels sont épisodiques. A mon avis, il s'agit plutôt de troubles de l'appareil circulatoire. Pour un homme de votre âge, vous n'avez pas de surpoids et votre condition physique me paraît excellente mais, bon Dieu, arrêtez le tabac. Il le faut. Ces étourdissements s'accompagnent de douleurs ?

– Pas vraiment, répondit Robert Kincaid. Quelquefois j'ai un peu mal dans la poitrine.

– Nous pourrions, grâce à certains tests, mieux cerner votre problème. Il est possible que vous souffriez d'angor, qui n'est pas une maladie en soi, mais plutôt un ensemble de symptômes, souvent annonciateurs d'une crise cardiaque provoquée par une affection sous-jacente.

Robert Kincaid avait reboutonné sa chemise et remercié le docteur.

– Alors, que faisons-nous ? lui avait demandé le médecin.

– Rien. Je vous ai dérangé pour rien.

– Pour rien ? Je suis en mesure de vous aider, à condition que vous passiez des examens complémentaires.

Robert Kincaid n'avait pas l'argent nécessaire pour des examens complémentaires, et pas l'envie de les subir. A ses yeux, la vie venait et s'en allait. Pour les uns elle était brève, plus longue pour d'autres, et le bon chemin à suivre se situait quelque part entre la peur pleurnicharde et le plongeon à pic du kamikaze.

Pendant la Deuxième Guerre mondiale, quand il était photographe dans le Pacifique, il avait frôlé la mort à plusieurs reprises. Chez lui, accrochée au mur, il avait une photo de Marines débarquant à Betio, une île de l'atoll de Tarawa, en novembre 1943, peu après neuf heures du matin. Respectant les ordres (« On veut des photos du débarquement, bordel ! »), Kincaid faisait partie de la première vague d'hommes qui descendaient des bateaux, il précédait les troupes. Avec ses pellicules dans des sacs étanches, l'appareil qu'il tenait en l'air pour ne pas le mouiller, il avait parcouru trois cents mètres dans la flotte, parce que le canot amphibie était coincé par un récif corallien. On les avait dirigés vers Beach Red One. La plupart d'entre eux n'avaient pas atteint la plage.

Le fracas des mitrailleuses, et tout autour de lui des geysers d'eau là où explosaient les tirs au mortier et au canon. Et l'expression des visages sur les photos : la trouille terrible, à vomir, de ces jeunes gars qui étaient si loin de chez eux, dont beaucoup allaient mourir, qui rampaient vers le rivage, leur arme levée au-dessus de leur tête. A Betio, cent quarante-cinq hectares de sable semés de bunkers en béton et bois de cocotier, la deuxième division de marine déplorerait près de trois mille victimes en trois jours. Vers la fin de la première journée, l'assistant de Kincaid, un jeune paysan du Nebraska qui était accroupi près de lui pour recharger son appareil, avait reçu une balle dans le front et basculé en arrière sans un cri.

Lorsqu'il avait quitté le cabinet du médecin, Kincaid avait rejoint Harry dans le parking, s'était assis au volant et avait allumé une Camel. Penché sur le volant métallique, ses longs cheveux gris embroussaillés comme d'habitude, il avait marmonné « On s'en fout », et démarré. Puis il s'était remémoré des vers de E. E. Cummings à propos de docteurs et d'autres univers, là-bas, et il avait ri tout bas.

Robert Kincaid savait qu'il était un anachronisme vivant, une créature qui n'appartenait pas à son temps. Un vestige de ce qui existait jadis, sans fonction ni dessein définis, contrairement aux choses d'aujourd'hui. Il était abonné à un magazine technique de photo ainsi qu'au journal local, mais la télévision lui avait toujours été étrangère.

Deux ans auparavant, un jour qu'il voulait s'acheter un nouveau jean dans un grand magasin de Seattle, il s'était arrêté quelques minutes au rayon électronique. Il avait regardé une démonstration de jeu vidéo dont les images défilaient simultanément sur trente-deux écrans de diverses tailles. Kincaid était resté planté là, à cligner les yeux, comme s'il émergeait d'un long sommeil, réveillé par le choc brutal d'un monde inconnu et bruyant.

Un jeune employé s'était approché de l'homme aux bretelles orange et, poliment, avait demandé si l'acquisition d'un téléviseur l'intéressait, signalant au passage que les modèles de cinquante-deux centimètres étaient vendus avec vingt pour cent de rabais. Kincaid s'était tourné vers lui, clignant toujours les yeux, désorienté. Il avait l'impression que son interlocuteur était relié par des fils invisibles aux écrans de télévision, que les machines elles-mêmes le lui envoyaient. Derrière lui, les spectateurs du jeu vidéo criaient des commentaires, apparemment aux concurrents.

Le vendeur avait jeté un coup d'œil aux écrans, et dit :

– Sûr qu'on peut gagner pas mal d'argent et des tas de trucs avec ces jeux vidéo.

Kincaid avait cherché quelque chose à répondre, en vain. Il s'était précipité hors du magasin, en pensant que tout ça était vraiment très loin de son séjour sur la banquise, dans une autre vie, quand il avait un harpon dans une main et grelottait de froid. Mais ce froid-là était réel et naturel, sans rapport avec ces perpétuels frissons glacés que faisaient naître en lui les visages qui l'encerclaient, le grondement de la circulation urbaine.

Au sortir du magasin, il avait croisé trois jeunes types sur le trottoir. L'un avait un radiocassette sur l'épaule, les deux autres portaient les baffles. La musique était tonitruante et incompréhensible pour Robert Kincaid. En retournant chez lui, dans l'île de Punget Sound, il était resté à la proue du ferry, sous la pluie et dans le vent mordant qui lui cinglait la figure.

En fin d'après-midi, comme le temps se gâtait, Robert Kincaid franchit la Columbia à Astoria, dans l'Oregon. Sous les longues arches du pont, où se mêlaient les eaux du fleuve et de l'océan, les cargos allaient et venaient, le grand négoce battait son plein sous les roues d'un pick-up de vingt-sept ans baptisé Harry.

– Je suis passé par là une fois, j'étais en moto, j'allais vers le nord, dit-il au chien qui sommeillait à côté de lui.

Highway dressa une oreille, regarda Robert Kincaid d'un air interrogateur.

– En 1945. Le pont n'était pas encore construit, j'ai dû prendre le ferry de l'Oregon jusqu'à l'Etat de Washington. La moto, c'était une Ariel Square Four, un bijou. Elle roulait bien, et pour se balader, elle était parfaite. Je l'avais payée avec une partie de ma solde quand j'ai quitté les Marines. Je regrette de l'avoir vendue. Je remontais de Big Sur, je cherchais un endroit où m'établir, de façon plus ou moins permanente, et me remettre au travail. C'était avant toi, Highway, et j'étais beaucoup plus jeune que maintenant, beaucoup plus.

Il trouva une petite épicerie, acheta des fruits et du pain, du fromage et quelques légumes, fidèle au régime alimentaire simple et peu onéreux qui était le sien depuis des décennies. La caissière s'ennuyait et contemplait le plafond, pendant qu'il extirpait de sa boîte à café quatre dollars et soixante-trois cents en petite monnaie.

Le gérant d'un motel de troisième ordre, en pantalon de toile fripé et chemise de flanelle, les joues salies par une barbe de trois jours, déclara qu'il tolérait les chiens dans les chambres, à condition qu'ils sachent se tenir. Kincaid lui assura que Highway avait de meilleures manières que la plupart des gens.

– C'est peu dire, monsieur, répondit le gérant. A la limite, c'est même insultant pour votre chien. Dirigez un motel comme celui-là pendant quelques jours, et vous vous ferez une piètre opinion sur la nature humaine.

Il posa une clé sur le comptoir.

– Numéro huit. A gauche après l'entrée.

Robert Kincaid, à nouveau en voyage et, si l'on ne tenait pas compte de son chien, seul comme toujours. Highway et lui dînèrent dans la chambre, ils mangèrent en silence. Rien que le bruit des croquettes, celui du couteau qui coupait le fromage. Ensuite, ils se promenèrent sur les quais et observèrent les cargos ; le retriever, lui, était nettement plus intéressé par les cuves rouillées et les rouleaux de cordage. Harry était garé sur le parking devant le motel, qui comportait trente places. Il n'y avait pas d'autres véhicules.

De retour dans la chambre, Kincaid s'allongea par terre, repoussant les assauts de Highway qui voulait lui débarbouiller la figure. Il fit une série d'exercices, levant les jambes bien tendues, et trente pompes. Puis, un peu essoufflé, il retira son T-shirt, son caleçon, passa du Baume du Tigre sur sa cheville et se mit au lit avec *Les Vertes Collines d'Afrique*. Highway s'affala sur le sol, là où Kincaid s'était étendu.

La couverture avait un trou. Kincaid la souleva, regarda par le trou une tache sur le papier peint, reprit sa lecture. Il en était au moment où le bwana arrivait en vue d'un salant, quand un coup léger frappé à la porte le fit sursauter. Highway grogna.

Kincaid se leva et demanda qui c'était.

– Jim Wilson, le gérant.

Kincaid enfila son jean et entrebâilla la porte. Jim Wilson était sur le seuil, il avait deux bouteilles de bière dans les mains.

– C'est drôlement tranquille, ce soir, alors j'ai pensé qu'une petite bière et un brin de causette ne vous déplairaient peut-être pas. Mais si je vous dérange, dites-le carrément, je ne vous en tiendrai pas rigueur.

Il jeta un regard en direction du lit.

– Oh, je suis désolé, vous étiez déjà couché.

– Non, je lisais.

Kincaid ouvrit la porte et tapota la tête du chien, collé contre sa jambe, qui grondait sourdement.

– Chut, mon vieux, tout va bien.

Jim Wilson referma la porte, décapsula les bouteilles de bière et en tendit une à Kincaid. Adossé au battant, il se laissa glisser, lentement, jusqu'à ce qu'il soit assis sur la moquette élimée. Kincaid s'installa dans l'unique fauteuil de la pièce, en vinyle marron fendillé et qui grinçait. Highway se posta près du lit, les yeux rivés sur Wilson, avant de se coucher, le museau sur ses pattes, sans cesser cependant de surveiller leur visiteur.

Celui-ci leva sa bouteille.

– A des jours meilleurs.

Kincaid l'imita.

– Vous allez où, si je ne suis pas indiscret ?

– Oh, je me balade par-ci, par-là. J'en avais marre d'être enfermé, j'ai décidé de partir un moment, comme ça.

Kincaid but une gorgée et alluma une Camel. Bien qu'il ne fût pas excessivement suspicieux de nature, quand les gens lui demandaient d'où il venait et où il allait, il s'en tenait toujours à des réponses évasives. Une sorte de prudence acquise dans les endroits les plus reculés du monde, où de telles informations risquaient d'être utilisées à vos dépens, de la plus infâme manière.

Le gérant demanda s'il pouvait lui emprunter une cigarette. Kincaid lui lança le paquet et son Zippo.

– Vous devez l'avoir depuis longtemps, ce briquet, dit Wilson en allumant sa Camel.

Du pouce, il effleura la surface éraflée du Zippo, les initiales RLK, gravées, à peine lisibles.

– Je l'ai acheté dans un magasin de l'armée, à Manille. Je rentrais au pays après la guerre.

– Moi, j'ai loupé la grande guerre de quelques années, dit Wilson en lui relançant le paquet de cigarettes et le Zippo. Mais pour le Vietnam, j'avais juste l'âge. J'aurais pu la manquer aussi, celle-là, ça ne m'aurait pas attristé.

Jim Wilson semblait las, il avait des poches sous les yeux, il portait maintenant une combinaison avachie, usée et tachée comme la moquette du motel.

Bien qu'il eût au bas mot vingt-cinq ans de moins que Kincaid, il paraissait plus vieux. Il abusait de l'alcool, pensa Kincaid.

Il posa la première question que tous les anciens soldats se posent :

– Vous étiez dans quelle unité ?

– J'en ai fait plusieurs, mais surtout la deuxième division de marine. Le Pacifique. J'étais photographe de guerre.

– Sans blague ? Je n'ai jamais connu de photographe de guerre. J'en ai croisé quelques-uns au Vietnam, mais je n'ai pas vraiment eu de relations avec eux. Certains étaient plutôt dingues, ils prenaient plus de riques que nous.

Kincaid ne répondit pas, il tétait sa bouteille de bière.

– Vous vous en êtes sorti sans pépin, alors ? Pas de blessure de guerre, rien de ce genre ?

– J'ai été verni. Il n'y a pas d'autre mot. J'ai reçu un éclat de shrapnel juste sous les côtes, à gauche. C'était à Betio. Il est entré et il est ressorti quelques centimètres plus loin. Les toubibs avaient des problèmes plus graves à traiter que mon égratignure, alors ils m'ont foutu des sulfamides dans les trous, ils ont recousu tout ça en cinq minutes, et ils sont repartis sur la plage avec leur morphine et leurs tourniquets.

Au bout d'une semaine, j'étais d'aplomb. Je n'ai même pas eu droit au Purple Heart[1].

Kincaid ricana et, machinalement, frotta du plat de la main la vieille blessure ; il sentait les cicatrices sous son T-shirt.

Le gérant étira ses jambes, puis en replia une et posa les bras sur son genou, tenant sa bouteille de bière par le goulot.

– Moi, j'étais dans le ravitaillement, alors le Vietnam, ça n'a pas pas été tellement dur en ce qui me concerne. Je traînais mes guêtres dans Saigon, je jouais au volley et j'évitais de choper des maladies vénériennes, autant que possible. J'ai fait mon temps et j'ai compté les jours. Mais ceux qui étaient dans la jungle en ont pris plein la gueule. Je suppose que là où vous étiez, ce n'était pas joli non plus.

– Non, pas joli du tout. Si les Japonais ne vous déquillaient pas, la malaria et une tripotée d'autres saloperies tropicales le faisaient. C'était vraiment terrible pour certains gars, vraiment. Débarquer sur ces plages, en sachant que l'ennemi était planqué dans tous les coins, et avec une seule idée en tête : comment la traverser, cette plage, et se mettre à couvert. Il ne faut pas oublier qu'avant, ces types

---

1. Décoration militaire décernée pour blessure en temps de guerre (*N.d.T.*).

étaient des vendeurs de voitures, des fermiers, des mécaniciens.

— Et quand Truman leur a balancé la bombe sur la tronche, qu'est-ce que vous en avez pensé ?

Kincaid garda un instant le silence, considéra sa bouteille, puis Jim Wilson.

— Certains d'entre nous, beaucoup d'entre nous, ont passé trois ans là-bas. Il y a des photographes et des journalistes qui aiment la guerre. Le besoin de se prouver son courage, j'imagine, de se mettre en danger de façon plus ou moins artificielle... je ne sais pas au juste à quoi ça correspond. Mais pour moi, toute cette histoire n'a jamais eu un goût d'aventure.

Il avala une grande lampée de bière.

— Les Japonais étaient des soldats redoutables. Personnellement, je ne voyais pas d'intérêt à sillonner la mer du Japon pour attaquer l'Empire. Je voulais simplement rentrer chez moi, loin de tous ces morts. Comme beaucoup d'autres gars, la majorité des gars. A n'importe quel prix.

Kincaid haussa les épaules et fixa un point invisible au-dessus de Jim Wilson, laissant le flou de sa réponse se confondre avec la fumée de leurs cigarettes.

Il poursuivit, d'une voix qui était presque un murmure :

– Je suis rentré au pays, j'ai acheté une moto, je suis descendu à Big Sur et ensuite je suis remonté le long de la côte, en passant par ici, pour essayer d'effacer tout ça de ma tête. Seulement, on n'y arrive jamais complètement. Les images restent nettes, précises. Et les odeurs, la cordite et la gangrène, les vapeurs de gasoil et de pétrole qui brûle, et la poussière de corail. S'approcher de ces plages dans des canots amphibies, être coincés par les récifs, loin du rivage, en sachant qu'il n'y avait rien d'autre à faire que se jeter à l'eau et barboter. Des canards dans une mare, comme on disait.

Jim Wilson préféra abandonner le sujet de la guerre.

– Big Sur, c'est chouette. J'y suis allé quelques fois quand j'enseignais à l'université de San Francisco. Sur la Highway 1, il y avait des tas de touristes, de mobile homes dans ces virages en épingle à cheveux. Ce devait être très différent quand vous y étiez, à l'époque.

– Oui, ça l'était. Une centaine de personnes, au maximum, y vivait toute l'année. Mais il y avait des gens de passage. La plupart se disaient artistes et musiciens. Je n'ai jamais vu ni entendu ce que j'appellerais de l'art. A part une poignée d'individus qui se consacraient sérieusement à l'écriture ou à d'autres disciplines, on semblait parler beaucoup d'art, mais on n'en faisait pas. En réalité, les résidents permanents se démenaient pour survivre. Notez que je n'y suis resté que quelques jours, il se peut que je me sois forgé une fausse idée.

Peut-être était-ce la bière, cette soirée ou le simple besoin de parler à un être humain, de dire des choses longtemps ensevelies et jamais exprimées qui poussa Kincaid à continuer. Les inconnus sont de bons confidents, et quand il le quitterait au matin, Jim Wilson serait encore un étranger à qui il manquait les pièces du puzzle nécessaires pour compléter un ensemble que Kincaid gardait pour lui. Hormis Francesca Johnson, qui en savait plus que ce qu'il y avait à connaître, Kincaid avait toujours eu soin de n'abandonner qu'un petit bout de soi-même avant de repartir.

Des deux mains, il repoussa ses cheveux en arrière, contempla le sol un moment avant de fixer à nouveau son regard sur Jim Wilson.

– J'ai rencontré une jeune femme là-bas, à Big Sur, une musicienne. J'ai porté son violoncelle jusqu'à une plage déserte. On a marché au bord de l'eau, il y avait une espèce de cap, on l'a contourné. Elle disait que la marée allait monter et qu'on serait piégés sur cette plage, qu'on ne pourrait pas rebrousser chemin avant la marée basse. Mais je m'en fichais, et elle aussi. Jamais elle ne m'a posé de questions sur la guerre. Son frère avait été tué en Italie, pendant le débarquement à Salerne. Le chagrin et la peur, elle savait ce que c'était.

« On est restés là longtemps, elle jouait du violoncelle, les vagues grondaient et les oiseaux marins criaient, l'ombre des rochers s'avançait sur l'eau et la plage à mesure que le jour tombait. Elle s'appelait Wynn, je m'en souviens. Une jolie fille, mais pas d'une beauté classique. A peu près vingt ans, débordante de vie. Je me rappelle que j'étais couché sur le sable, je l'écoutais jouer – du Schubert, je crois –, je me remémorais ce que j'avais vu au cours des dernières années tout en essayant de l'oublier.

« Je pensais que ces vagues qui se jetaient sur le rivage, à vingt mètres de moi, auraient pu être celles qui nous poussaient vers Tarawa et d'autres îles. Je ne sais plus combien de temps elle a joué, ni combien de temps je suis resté sur le sable à boire du vin rouge, à me souvenir tout en m'efforçant d'oublier. Après, le soleil avait presque disparu, elle a appuyé son violoncelle contre un rocher, et elle s'est assise à côte de moi... Je me rappelle encore la chaleur du sable. Elle s'est allongée, la tête sur son bras replié, elle me regardait. J'ai fait un feu avec du bois flotté, et on a passé toute la nuit là.

Wilson comprit que c'était une espèce de thérapie qui se déroulait dans cette chambre miteuse de motel. Que cet homme, Kincaid, ne racontait pas une histoire banale. Ses intentions n'étaient pas claires, mais c'était comme un retour en arrière essentiel, au déclin d'une vie. Le récit nécessaire d'un moment important, peut-être simplement pour préserver ses souvenirs, les ranimer, à la manière des Aborigènes qui, autour d'un feu de camp, narrent les anciennes légendes afin qu'elles ne meurent pas.

– Ce devait être une femme intéressante.

Kincaid saisit sa bière et, par inadvertance, heurta l'abat-jour de la lampe. Des ombres furtives oscillèrent dans la pièce ; Highway, alarmé, leva les yeux. Kincaid immobilisa l'abat-jour.

– On a évoqué la possibilité que je m'installe à Big Sur, j'y ai un peu réfléchi, mais il me semblait que le monde m'attendait. J'avais le cœur plein de tout ce que je voulais faire, découvrir, expérimenter. Après cette guerre, j'étais un ressort, replié sur moi-même, pas mal désaxé. J'avais la sensation que ma vie passait vite, que j'avais encore beaucoup de choses à voir et à réaliser.

– Alors vous êtes parti au bout de quelques jours ?

– Oui. C'était plutôt rapide, je sais. Il y a eu un instant, j'étais debout près de la moto, elle me regardait, elle me tenait par mon ceinturon, et j'ai failli ne pas partir. Dix minutes plus tard, je m'en allais, mais je n'avais pas l'impression que c'était vraiment fini. Je me figurais qu'on garderait le contact, qu'on se reverrait. On s'était dit qu'on le ferait et, à ce moment-là, je crois qu'on était sincères. Mais comment souvent, dans ces affaires-là, le temps et la distance vous séparent. Je lui ai écrit deux ou trois fois pour la prévenir que je m'installais à Seattle, que je cherchais un logement.

« Apparemment, elle n'était plus à Big Sur, et comme moi je bougeais aussi beaucoup, si elle m'a écrit, nos lettres se sont sans doute perdues dans les bureaux de poste. Elle avait de la personnalité, c'était une femme très indépendante pour son âge et son époque, donc je pense qu'elle s'en est bien sortie. Au temps de notre rencontre, elle n'était pas prête pour une relation durable, pas plus que moi. Bon Dieu, tout ça, c'est bien loin.

Robert Kincaid s'interrompit, inspira à fond, lâcha lentement son souffle.

– Vous dites que vous avez été professeur d'université ?

– Oui, j'ai enseigné la psychologie pendant neuf ans. Je ne supportais pas la vie universitaire, si on peut appeler ça une vie. Une bande de socialistes pédants qui prêchent le dogme de l'égalité et se cramponnent bec et ongles à l'esprit de caste le plus rigide de tous les groupes socioprofessionnels imaginables. J'ai démissionné et bourlingué ici et là pendant quelques années. Finalement, je me suis retrouvé ici, à diriger cet établissement. Mais je ne sais pas si je continuerai longtemps.

Jim Wilson, gérant de motel, se leva et s'étira.

– Il vaut mieux que j'aille me coucher ; la plomberie a pété au numéro six, il me faudra toute la matinée de demain pour la réparer. C'était bien agréable de discuter avec vous. Et vous aviez raison à propos de votre chien, il a de meilleures manières que la plupart des gens. Il peut revenir quand il veut, avec ou sans vous.

Il tendit la main à Robert Kincaid, qui la serra.

– Bonne chance. Pour moi aussi, c'était agréable de parler avec vous.

Kincaid referma la porte, se remit au lit et reprit son livre. Le grand bwana inspectait à présent des traces de rhinocéros près du salant et s'apprêtait à repousser diverses bêtes sauvages.

Il reposa le bouquin et éteignit la lampe de chevet.

Il fit un rêve étrange, mi-réminiscence et mi-fiction. Il parlait à un marin, dans un troquet de Singapour, le Raffles. Il bougea dans son sommeil, Highway lécha la main pendante qui l'avait frôlé.

Dehors, un cargo, le *Pacific Vagabond*, passait sous le pont et se dirigeait vers les docks. Parmi les marchandises entassées dans ses immenses soutes, il y avait un chargement de téléviseurs en provenance de Corée qui avait été débarqué dans le Pacifique et transbordé dans le port moderne de Tarawa.

5

La quête

Dakota du Sud, en plein automne, par une matinée grise et venteuse. Le facteur s'arrêta devant une boîte à lettres sur laquelle était inscrit : CARLISLE MCMILLAN, HIGHWAY 3. Cinquante mètres plus loin, sur le chemin de terre, Carlisle charriait du bois de charpente devant ce qu'on appelait encore la maison du vieux Williston. Dans l'Amérique rurale, c'était la tradition, les maisons gardaient le nom de la personne qui les avait bâties.

Le facteur klaxonna pour prévenir Carlisle qu'il avait du courrier. McMillan n'en recevait pas beaucoup, par conséquent le facteur pensa que c'était une bonne idée de lui signaler que, pour changer, sa boîte n'était pas vide.

Carlisle leva les yeux, agita la main, et descendit le chemin, tandis que le facteur repartait en direction de la ferme d'Axel et Earlene Looker. Axel devait déjà attendre, accoudé sur sa propre boîte, son allocation. Ces deux derniers jours, le facteur l'avait rencontré là chaque matin ; son chèque était en retard, et il rouspétait contre les lenteurs de cette maudite administration.

Pendant qu'il reconstruisait la maison du vieux Williston, Carlisle s'était trouvé un compagnon. Un grand matou qui avait débarqué et choisi de rester dans les parages, alors que les travaux étaient à moitié terminés. Carlisle avait étudié le chat tigré à poils longs, à l'oreille gauche déchirée et aux yeux jaunes. Le matou avait étudié Carlisle et était resté pour le déjeuner, puis le dîner, avant de décider de s'installer là à demeure.

— Mon grand, tu m'as tout l'air d'un chat de poubelles. Poub, ça t'irait bien, comme nom, lui avait dit Carlisle le cinquième jour. Si tu n'y pas vois pas d'inconvénient, on l'adopte.

Poub avait cligné les paupières. Carlisle lui avait souri.

Le chat était perché sur la balustrade du porche, lorsque Carlisle revint. Ils entrèrent ensemble dans la maison, Poub se dirigea vers son coin favori, sous le poêle à bois. Carlisle prit la théière cabossée, dénichée dans une vente de charité à Falls City, et se servit une tasse de thé. Il la posa sur l'établi qui maintenait sa scie circulaire et qui occupait une partie du salon depuis trois mois.

C'était sa mère, Wynn, qui lui écrivait, elle n'avait mis que dix jours pour lui répondre. Un exploit pour Wynn, qui avait tendance à égarer son courrier, ses chèques et les ordonnances du médecin. Toutefois, à sa décharge, elle avait la faculté de se rappeler les choses importantes, des passages ardus des œuvres de Schubert et d'obscurs détails de l'histoire de la sculpture.

20 novembre 1981

Cher Carlisle,

Dire que tu as une adresse, une boîte à lettres, et tout ça. Tu t'es donc installé quelque part, quel changement pour toi. J'ai été contente d'apprendre que tu avais acheté cette vieille maison et que tu la restaurais. Je pourrai peut-être venir la voir, un de ces jours. En tout cas, je suis heureuse pour toi.

Y aurait-il une femme intéressante dans ta vie ? Pardon pour cette indiscrétion, mais une mère, même aussi bizarre que moi, pense à ces choses-là. J'ai du mal à croire que, dans quelques années, tu seras quadragénaire. Ça me plairait bien d'avoir des petits-enfants.

Maintenant, passons aux questions que tu me poses dans ta dernière lettre, concernant ton père et les souvenirs que j'ai de lui. Je ne peux que te répéter ce que je t'ai déjà dit. Il avait été dans l'armée, il était photographe avant et pendant la guerre dans le Pacifique. Il venait de quitter les Marines (il me semble). J'avais le sentiment qu'il ne tenait pas à parler de la guerre. En fait, je suis persuadée qu'il ne voulait pas du tout en parler. Son prénom, c'était Robert. J'ai complètement oublié son nom de famille, en admettant que je l'aie jamais su.

Je l'ai connu en 1945, fin septembre, le jour même de la mort de Bela Bartok. Sa moto était rouge, avec du chrome. Sur le réservoir d'essence, il y avait un logo, argenté : la marque de la moto. Je me souviens seulement de l'initiale, « A ». La mémoire est tellement imparfaite et épouvantablement sélective. Une fois, c'est moi qui ai rempli le réservoir d'essence ; je le regardais, ce logo, mais je ne revois que la première lettre. Et pourtant, je me rappelle encore une anecdote qu'il m'a racontée, à propos d'un marin rencontré à Singapour. C'est curieux, non ?

Autre chose. Il avait une gourmette au poignet droit, je crois. Il était grand, mince, il s'habillait simplement et portait des bretelles. Les détails de son visage se sont effacés de mon esprit, cependant j'ai l'impression qu'il n'était ni particulièrement séduisant, ni laid. Pourtant il n'était pas non plus ordinaire, il avait quelque chose de singulier, d'inhabituel. Je me souviens très bien de son regard. Un regard usé, celui d'un homme beaucoup plus âgé qu'il ne l'était à l'époque (il devait avoir la trentaine).

À part ça ? C'est tellement loin, et j'étais si jeune. Je n'avais que dix-neuf ans, j'étais libre et rebelle, pleine de rêves loufoques sur la vie d'artiste et l'amour de la nature. Mais je garde certaines images de lui. Il se laissait pousser les cheveux, puisqu'il avait quitté l'armée, et il les attachait avec un bandana bleu pour faire de la moto. Comme je te l'ai dit, il n'était pas beau au sens habituel du terme, mais, quand nous roulions sur les ponts de Big Sur, je le trouvais attirant, avec sa veste en cuir, son jean, ses bottes et ses lunettes de soleil.

Tiens-moi au courant des progrès de tes travaux de restauration. Ici, tout est tranquille. Ce serait gentil de venir me voir un de ces jours. Tu sais, je me souviens de ton père comme d'un homme chaleureux et charmant, même si nous n'avons passé ensemble que trois ou quatre jours. Je ne regrette rien, dans la mesure où il m'a donné un enfant : toi.

Tendrement,

Ta mère

WYNN

P.S. J'ai croisé Mme Marx l'autre jour, elle t'envoie son bonjour. Elle te considère toujours comme un fils, elle parle beaucoup de Cody et toi. Ecris-lui, à l'occasion. Le cher vieux Jonathan, ton bien-aimé beau-père pendant six ans de ta jeunesse, s'est arrêté à la maison. Il venait de San Francisco. Nous sommes allés boire un café, il a disserté sur ses placements boursiers, le roman qu'il essaie de publier et ses deux dernières épouses. Il m'a invitée à dîner, mais j'ai refusé. Je me demande comment il a pu me plaire.

Carlisle McMillan prit une feuille de papier et un crayon dans sa poche de chemise. La liste serait succincte, néanmoins il nota toutes les informations fournies par Wynn :

PRÉNOM : Robert
INITIALE DE LA MARQUE DE LA MOTO : A
GOURMETTE ?
DEUXIÈME GUERRE MONDIALE – PACIFIQUE : Marines ?
PHOTOGRAPHE (avant et pendant la guerre)
SINGAPOUR : grand voyageur ?
ÂGE : la trentaine

Cette liste pourrait constituer le début d'une sorte de grille. En haut, par colonnes, il inscrirait les noms qu'il trouverait et chercherait les points communs entre ces noms et les éléments dont il disposait. Mais par où commencer ? Il lui fallait un angle d'attaque, or il n'en voyait aucun, hormis un examen fastidieux et interminable des vieux journaux et magazines.

Carlisle était plongé dans ses réflexions quand la sonnerie du téléphone le fit sursauter. C'était Buddy Reems, son complice du temps où il construisait des lotissements à Oakland. Un type un peu dingue, mais un bon charpentier et un brave gars.

– Carly, espèce de vieux brigand, ça fait plaisir de

80

t'entendre. Ta mère m'a donné ton numéro. Qu'est-ce que tu deviens, et où es-tu ? Wynn m'a parlé du Dakota, celui du sud ou du nord. Il est sur la carte, ton bled ? Tu peux te déplacer librement, ou il te faut un passeport interplanétaire ?

Carlisle éclata de rire. Buddy n'avait pas changé. Quand ils s'étaient séparés, deux ans plus tôt, il partait rejoindre une communauté au Nouveau-Mexique.

– Et toi, Buddy, tu es où ?

– A Oakland. J'ai recommencé à bosser dans ces lotissements merdiques et, le week-end, je me soûle à mort pour oublier le sale boulot que j'ai fait toute la semaine. Il paraît que tu t'es construit une baraque ou que tu en as retapé une ?

Carlisle lui parla de la maison du vieux Williston. Ça se passait plutôt bien, dit-il, tellement bien même qu'il avait décroché des commandes dans deux ou trois villages voisins.

– Et les nanas ? Il y a des possibilités, où on n'expédie dans ton trou que des vierges et des criminelles ?

– Il y a quelques possibilités. Je suis sorti avec une femme qui travaille dans un restaurant. Et toi, Buddy, qu'est-il arrivé à tes grands idéaux de vie communautaire ?

– Bon Dieu, Carly... c'était une vaste fumisterie.

Tu te souviens peut-être que je suis parti là-bas à cause d'une fille. Tu te rappelles ? Je t'ai écrit à son sujet. Je te disais qu'elle avait des jambes longues comme un jour sans pain. Je t'ai même proposé de te la prêter si tu venais me voir.

Carlisle secoua la tête, amusé. Il n'avait pas oublié la lettre de Buddy, son enthousiasme.

– Oui, je me rappelle. Et alors, qu'est-ce qui s'est passé ?

– Ben, en fait, la fille s'est installée dans une autre communauté avec un guitariste qui se bourrait de saloperies chimiques et chantait des vieilles rengaines des années 60, où il était question de fleurs des champs, de la paix dans le monde et d'amour libre. Ça, je n'avais rien contre, j'étais là pour ça. L'ennui, c'est que j'étais le seul de la bande à savoir me servir de mes dix doigts. Du coup, ils m'ont fait construire des cuisines, genre mess, un réfectoire et des dortoirs, pendant qu'ils restaient tranquillement assis à fumer de l'herbe et à parler de... comment ça se prononce, déjà ? Nisse ? Un allemand. Un philosophe, ou quelque chose dans ce goût-là.

– Nietzsche. Friedrich Nietzsche.

– Voilà. Tu sais, Carly, les types qui sortent de la fac, je peux pas les encadrer. Si tu n'étais pas le meilleur charpentier que j'aie jamais rencontré, je ne te fréquenterais pas. Enfin bref, tu imagines combien ce Nisse et toutes ces conneries du style peace and love me plaisaient. Du coup, je me suis tiré tout de suite après que la fille est partie avec son hippie de guitariste. On ne s'est même pas dit adios. Entre parenthèses, comme gratteur de guitare, il ne valait pas un pet de lapin. Tu te rappelles quand on allait écouter Jesse Lone Cat Fuller ? Monsieur peace and love ne lui arrivait même pas au petit orteil.

La conversation se poursuivit et, à un moment, Carlisle dit qu'il était à la recherche de son père. Buddy, malgré ses excentricités, était un garçon pragmatique quand il s'agissait de résoudre un problème. Et, comme d'habitude, il était sûr de lui, certain de pouvoir régler des affaires de cette nature.

– Je me charge de creuser la question pour toi, ici et peut-être à Sacramento. Je pars là-bas dans une heure, j'ai rendez-vous avec une femme que j'ai rencontrée à un concert le mois dernier. Elle n'est pas d'une beauté renversante, mais elle sait sacrément bien se servir de son corps.

Carlisle sourit à nouveau. A quarante ans, Buddy restait le même, sans cesse sur la brèche.

– Je connais quelques types à Sacramento qui, éventuellement, auraient accès aux registres des véhicules motorisés. Ça remonte à plus de trente ans, mais ces foutus bureaucrates conservent tout, donc on a une chance de trouver. OK, je note. Prénom,

Robert. C'est bien ça ? Initiale de la marque de sa moto : A. Il l'a achetée juste après la guerre, mettons en août ou septembre 1945. Je me demande combien de bécanes ont été vendues dans la baie de San Francisco à cette période-là.

— Je ne peux pas affirmer qu'il l'a achetée après la guerre. Il l'avait peut-être avant.

— De mieux en mieux. Il ne nous reste plus qu'à contrôler une bonne moitié de toutes les motos vendues dans le pays. Mais je tenterai le coup. Des trucs aussi vieux, ça n'est pas sur des fichiers informatiques. Faudra farfouiller dans les archives. On va essayer. Tu dis qu'elle travaille dans un restaurant du coin ?

— Qui ?

— La nana que tu dragues, banane.

— Oui, mais je n'appellerais pas ça de la drague. Elle est employée au Danny's Cafe. Entre Omaha et Cheyenne, tu ne trouveras pas de meilleurs sandwichs à la dinde. Avec de la purée de pommes de terre et plein de jus.

— C'est appétissant. De la dinde juteuse et une jolie femme. Ou l'inverse ? Bon, je te tiendrai au courant. Encore une chose, Carly. Ne meurs pas bêtement. C'est ma nouvelle devise.

— Quoi ?

— Je suis en train de faire la liste des différentes

manières de mourir dont je ne veux pas, et des situations que je dois donc éviter.

– Par exemple ?

– Ne meurs pas à l'hôpital, surtout pas. Ca, c'est le principe de base. Il vaut mieux tomber d'un toit, quand tu auras fini de fixer le dernier bardeau de la plus belle maison que tu auras jamais construite. Autre façon idiote de mourir : se faire écrabouiller par une Cadillac de 68 toute rouillée, avec des pneus lisses, devant un K Mart le premier jour des soldes pour les sous-vêtements masculins.

Carlisle riait, parfois les âneries de Buddy Reems lui manquaient.

– Encore une : être estourbi par du gazon volant, projeté par une tondeuse manipulée par un Rotarien de soixante-quatre ans, obèse, dans une cité réservée aux retraités. C'est tout ce que j'ai pour l'instant, mais je continue. Je t'enverrai la liste dès qu'elle sera complète. Prends soin de toi, Carly. Ça m'a fait rudement plaisir de te parler. Je te dirai, si je trouve quelque chose.

– Merci, Buddy. Moi aussi, ça m'a fait plaisir. Merci pour ton aide.

Sept heures plus tard, Buddy le rappelait. En fond sonore, on entendait le grondement de la circulation.

– Carly, c'est moi. Je suis dans une cabine à Sacramento. Une mignonne petite Nancy, au service des archives des véhicules motorisés, m'a filé un coup de main. Ça n'a pas été très facile, mais je craignais que ce soit pire. Trois heures à brasser de la paperasse, et on a fini par dénicher quelques infos. Tu as un papier et un stylo ? Vingt-huit mecs prénommés Robert ont fait immatriculer des motos à San Francisco en août et septembre 1945. Beaucoup de Harley et d'Indian, mais un seul engin dont la marque commence par la lettre A. Une Ariel Square Four. Une moto d'occasion enregistrée le 24 septembre 1945. « Square Four », c'est sans doute en rapport avec les cylindres et...

– Buddy, l'interrompit Carlisle, le nom. Qui l'a fait immatriculer ?

– Ah oui, j'allais oublier le plus important. Robert L. Kincaid. Pas d'adresse ni de numéro de téléphone. De toute façon, comme ça date de trente-six ans, les coordonnées ne seraient sans doute plus valables.

– Tu veux bien m'épeler le nom ?

Buddy épela, Carlisle nota avec soin.

– Il faut que je te laisse, Carly. Ma copine poireaute dans la bagnole. Bonne chance, et fais-moi signe si je peux t'être utile.

– Merci encore, Buddy. Je crois que ça va vraiment m'aider.

– Eh ben, tant mieux. Salut !

Dès qu'il eut raccroché, Carlisle rectifia sa liste de renseignements :

PRÉNOM : Robert L.
PATRONYME : Kincaid (?)
MOTO : Ariel Square Four (?)

Il relut sa fiche, alla dans la cuisine chercher une bière. Puis il se rassit à son bureau et se mit à griffonner sur la feuille :

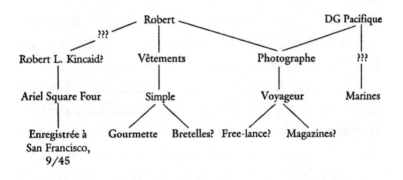

Manifestement, la plupart des éléments de ce tableau ne le mèneraient nulle part. Le métier de photographe et un éventuel dossier militaire étaient les deux seules pistes susceptibles d'aboutir.

Il téléphona à sa mère le lendemain matin de

bonne heure, et lui demanda si elle connaissait des vieux photographes à qui il pourrait s'adresser.

– Carlisle, c'est en rapport avec ton père ?

– Oui.

Il lui expliqua ce que Buddy avait découvert à Sacramento.

– Kincaid ? J'aimerais pouvoir te confirmer que c'était bien son nom. Mais je ne m'en souviens pas. Pourtant, je crois qu'il me l'a dit, une fois. Tu es sûr de vouloir continuer, Carlisle ? Ça risque d'être une terrible déception pour toi, peut-être pour nous deux.

– Oui, je suis sûr. Allez, Wynn, réfléchis. Indique-moi un photographe, quelqu'un qui connaisse un peu l'histoire de la photo dans ce pays.

– Eh bien, il y a Frank Moskowitz, qui habite un chalet en dehors de la ville, dans les collines près de Russian Gulch. Il a dans les soixante-dix ans, environ, et quand il vient à la galerie, il ne me paraît pas stupide. Son travail est assez médiocre, mais il s'acharne. Attends, je cherche son numéro de téléphone.

Elle le lui donna, puis enchaîna :

– Il y a un incident dont je ne t'ai jamais parlé. Pourquoi, je ne sais pas. Ça ne m'est pas venu à l'esprit, je suppose, avant que tu me fasses repenser à tout ça. Ton père et moi, sur sa moto, nous avons longé la côte jusqu'à un endroit où se rassemblaient des lions de mer. Quand on est arrivés, on a vu deux types qui canardaient ces pauvres bêtes. Ils avaient une carabine, ils se la passaient pour tirer à tour de rôle.

« J'en ai été complètement bouleversée. Ton père m'a dit de rester près de la moto, et il est descendu rejoindre les deux types. Il s'est approché d'eux, tranquillement, il a pris le fusil et il l'a balancé dans les vagues. Les types se sont mis à vociférer, ils étaient fous de rage. Il y en avait un qui voulait se battre, mais ton père ne bronchait pas. Il était là, immobile, il les dévisageait. Au bout d'un moment, ils se sont éloignés et ton père m'a rejointe.

« J'ai bien vu qu'il était furieux, je lui ai demandé ce qu'il leur avait raconté. Il m'a répondu : "je leur ai juste dit que j'avais assisté à suffisamment de tueries insensées et que, s'ils continuaient, je les jetterais eux aussi à l'eau, comme leur carabine, parce que ça, au moins, ce ne serait pas insensé." Je ne savais pas si j'étais amoureuse de lui, mais après cette histoire avec les lions de mer, je l'ai été.

Ils bavardèrent encore quelques minutes. Sitôt que Carlisle eut raccroché, il composa le numéro que sa mère lui avait communiqué.

– Moskowitz, dit une voix bourrue.

Carlisle se présenta et aborda dans la foulée le

89

sujet qui le préoccupait. M. Moskowitz avait-il entendu parler d'un photographe nommé Kincaid ?

– Ce nom ne m'est pas inconnu. Mais... s'il est vraiment réputé, il figure peut-être dans le *Who's Who*.

Carlisle, qui n'y avait pas pensé, nota cette suggestion.

– Monsieur Moskowitz..., dans les années 30, quand un photographe voyageait beaucoup, il travaillait pour qui, à votre avis ?

– Difficile à dire. On était une tripotée à se débrouiller tout seuls. A l'époque, les magazines qui avaient les moyens d'envoyer quelqu'un à l'étranger n'étaient pas nombreux. Sauf les cadors. *Time, Life, Look, National Geographic.* Bref, les revues de ce calibre.

Là-dessus, Moskowitz sembla perdre le fil, se mit à parler de matériel photo, de pellicule, de ses tentatives pour faire publier son propre travail et de ses frustrations. Carlisle l'écouta poliment, et lorsque son interlocuteur s'interrompit pour reprendre sa respiration, le remercia pour son aide.

– Votre mère est charmante, monsieur McMillan, vraiment charmante, même si elle n'expose pas mes images dans la galerie où elle travaille.

– Qui sait, monsieur Moskowitz. Elle le fera peut-être un jour.

– Oui, un jour, peut-être, grommela le vieux bon-homme, puis il raccrocha.

Carlisle garnit le poêle à bois pour la nuit et alla se coucher. Comme il glissait dans le sommeil, et que le vent soufflait et ululait au-dehors, il lui sembla entendre ronfler une moto d'autrefois dans les virages de Big Sur.

Une heure après l'aube, l'air était frisquet, Robert Kincaid quittait le motel de l'Oregon et faisait démarrer Harry. Le moteur ne tournait pas rond, à nouveau. Il prit une petite boîte à outils, derrière son siège, et enfila son parka. Highway se pencha par la vitre, pour essayer de voir ce qui se passait derrière le capot levé. Kincaid tripota le carburateur, écouta le moteur, hocha la tête avec satisfaction et referma doucement le capot.

Il se rassit au volant.

– Le zen et l'art d'entretenir un vieux pick-up, mon brave chien. Ce n'est pas aussi romantique que M. Persig nous le raconte dans son bouquin, à propos des motos. J'ai du mal à faire le rapprochement entre le zen et ce qu'il y a sous le capot de Harry. Mais bien sûr, un pick-up, ce n'est pas une moto. Notre Harry a sa propre personnalité, seulement ça n'a rien à voir avec ce qu'on éprouve quand on est sur une bonne moto. J'aurais dû garder mon Ariel. J'aurais pu t'attacher derrière moi et allez, vogue la galère !

Highway reniflait la manche de son maître, en quête d'odeurs matinales inhabituelles ; n'en trouvant aucune, il s'installa sur son siège, tandis que Kincaid chaussait ses lunettes pour étudier la carte, le temps que le chauffage dégivre le pare-brise.

Il décida de rester sur la 101, de descendre vers le nord de la Californie puis de mettre le cap à l'est. Ça le mènerait au sud des Black Hills, mais il pourrait toujours remonter vers le nord ou passer par les Black Hills au retour.

Robert Kincaid suivit l'autoroute sinueuse qui longeait la côte, sans dépasser le soixante-dix kilomètres à l'heure. On apercevait le Pacifique entre les collines verdoyantes. Des côtes, des descentes, des virages à droite, à gauche. Il était sur pilotage automatique.

Il s'efforçait de retrouver la substantifique moelle du rêve qu'il avait eu cette nuit. Pendant que son corps s'abandonnait au repos, son esprit reprenait le chemin de Singapour, au temps où l'île était encore sauvage et libre, un carrefour du monde. Pirates, mercenaires, trafiquants. Des hommes avec un poignard à la ceinture, des cartes au trésor dans leurs poches, et des intentions où n'entrait aucune notion de moralité. Le genre d'univers dont rêvait Robert Kincaid quand il était gosse.

Des clichés qui, en ce temps-là, n'étaient pas encore des clichés. Les hélices des ventilateurs qui tournaient lentement au plafond, dans des bars louches, et une femme nommée Juliette en fourreau noir, une bonne pianiste qui chantait des chansons de Kurt Weill. Un soir, deux types avaient failli s'entretuer pour obtenir ses faveurs ; pourtant elle n'avait nullement encouragé cette bagarre et, d'ailleurs, elle ne s'intéressait ni à l'un ni à l'autre.

Kincaid se souvenait d'elle, il aimait sa musique. Il frisait la trentaine, il commençait à voyager et à travailler, Juliet était plus vieille que lui – quarante ans, peut-être. Il ne s'était rien passé entre eux. A son âge, il aurait eu peur d'une telle femme, de ce qu'elle pouvait savoir et qu'il ignorait, sur le sexe par exemple. Il était là, au bar du Raffles, il finissait sa bière, et l'observait à travers son verre, comme s'il avait l'œil collé à l'objectif de son appareil. Ça déformait l'image de Juliet, mais à son avis, elle était encore belle. Il se demandait si elle avait réussi à s'en tirer, quelques années plus tard, avant que les Japonais débarquent. Sans doute. Les gens comme Juliet s'en tiraient toujours, lorsqu'il le fallait. Elle aussi appartenait à la race des derniers cow-boys.

Tout en roulant vers la Californie, il se mit à

fredonner, une chanson que Juliet chantait tous les soirs, il y avait de ça quarante et quelques années. *Le Tango du marin*, s'il ne se trompait pas. Un visage de son rêve lui revint à l'esprit, et un prénom, Aabye. Le second du *Moroccan Wind*. Kincaid esquissa un sourire. Comment est-ce que je me rappelle le nom de ce bateau ? Certaines choses vous restaient dans la mémoire, d'autres pas. Ils avaient bu deux ou trois bières ensemble.

Aabye – son nom de famille, par contre, il l'avait oublié – lui avait parlé de sa grande ambition : posséder un schooner. Mais, financièrement, il n'y arriverait pas. Robert Kincaid lui avait dit qu'il venait juste de terminer un reportage sur les vieux schooners qui faisaient du commerce en mer de Chine. Il s'était surtout concentré sur un capitaine proche de la retraite et qui cherchait quelqu'un pour reprendre son bateau. Kincaid avait dit au dénommé Aabye que, pour l'argent, il y aurait certainement un arrangement possible, parce que le capitaine vouait un amour profond à son schooner, le *Paladin*, qui était magnifique. Kincaid lui avait indiqué où il était amarré. Le marin l'avait remercié et lui avait serré la main, puis il était sorti du bar pour rejoindre le *Paladin*.

Tels étaient les souvenirs que son rêve avait ranimés. Des souvenirs de cette nature, Robert Kincaid en avait des centaines, des milliers. Tout en roulant le long de la côte de l'Oregon, cap au sud, il regarda vers l'ouest, vers Singapour, et se demanda si le dénommé Aabye avait réussi à l'avoir, son bateau, alors que l'époque des schooners touchait à sa fin. Il l'espérait. Et il pensait toujours aux Juliet, aux Aabye, aux Maria et aux Jack, à tous ceux du temps où il parcourait le monde. Il se les rappelait tous avec plaisir, il leur était reconnaissant des souvenirs qu'ils lui avaient laissés.

Un phare apparut sur la droite. Automatiquement, il le cadra dans sa tête, envisagea de le photographier. Il y renonça ; il avait déjà trop de photos de phares au petit matin.

Il continua à rouler, en songeant au phare. Quand il atteignit une aire de repos ménagée pour les touristes désireux de prendre l'océan en photo, il s'arrêta et fouilla dans ses rouleaux de Tri-X. Il savait qu'il y trouverait un unique rouleau de Kodak T-Pan, 25 ASA, une pellicule conçue pour reproduire les dessins au trait et les croquis.

Mais le T-Pan avait une particularité singulière. Si on l'utilisait à une vitesse nettement supérieure et si on développait le film de manière pas très orthodoxe, les nuances étaient quasiment gommées, le sujet restitué dans un noir et blanc si contrasté qu'il semblait littéralement jaillir du papier. Il avait recouru une fois à cette technique, en Ecosse, dans les îles de Glencoe. Un petit château se dressait à une centaine de mètres du rivage d'un îlot tout juste assez grand pour le soutenir, et se reflétait dans l'eau qui l'encerclait. Sur la photo, les tours et les murs gris du château étaient d'un blanc cru, l'eau autour d'un noir intense, et on avait l'impression que le château reposait sur son propre reflet.

Il pourrait peut-être prendre le phare de la même façon, en respectant bien sûr l'originalité du sujet.

Il fit marche arrière – il étudiait le phare dans le cadre imaginaire qu'il avait à l'esprit – jusqu'à ce qu'il soit correctement positionné pour le cliché. Il extirpa un Nikon F de la sacoche, le chargea avec la pellicule T-Pan. Quand il enfila sa veste et saisit le pied Gitzo, Highway sauta du pick-up et, la truffe au ras du sol, entreprit d'explorer les alentours.

Kincaid, du bout de sa botte, donna un petit coup à l'une des branches du pied – un mouvement révélateur d'une longue expérience –, et les deux autres s'écartèrent aussitôt. Il régla le pied machinalement, il savait sans même y réfléchir à quelle hauteur devait être l'appareil, qu'il vissa. Puis il prit le déclencheur souple dans la poche droite de sa veste.

Son cerveau fonctionnait à nouveau, il analysait simultanément le cliché et la technique nécessaire pour obtenir le résultat escompté. Il vissa également le déclencheur, sourit, et enfin éclata de rire. Highway le regarda d'un air surpris.

– Tu te demandes pourquoi je ris, le chien ? Parce que je suis là, en train de faire ce que je fais le mieux. Et je réalise que, ces derniers temps, je ne l'ai pas fait autant que j'aurais dû.

Il sentait la force revenir dans son corps, l'énergie et la puissance demeurées en sommeil pendant ces années de dépression passées à s'apitoyer sur son sort.

Robert Kincaid, l'un des anciens faiseurs d'images, l'illusionniste consommé qui avait offert sa vision des choses à des millions de lecteurs de livres et de magazines, se remettait au travail.

Il se pencha, colla son œil au viseur, rectifia légèrement l'inclinaison de l'appareil. Il était prêt. Il revoyait le château écossais, plaquait cette image sur celle qu'il allait réaliser maintenant, il se remémorait chaque détail de la procédure à suivre, élaborait son plan d'attaque.

Comme toujours, pour savoir si une photo méritait ou non d'être prise, il l'imaginait encadrée et accrochée sur un mur. Pourrait-il vivre avec elle des mois, des années, sans s'en fatiguer ? Si oui, ça valait le coup. Dans le cas contraire, il remballait son matériel.

Il se représenta l'image telle qu'il voulait qu'elle soit. Il réfléchit à ce que ça impliquerait, au moment du développement et du tirage. Le posemètre lui donna une première idée de la durée d'exposition. L'ombre projetée par le phare contrastait fortement avec le blanc de l'édifice. Un cliché très contrastré et une émulsion à grand contraste... attention. Il fit les dernières mises au point. Surexposer légèrement, saisir les détails des ombres, insister sur la lumière au développement, parachever la composition de l'ensemble au tirage.

Il appuya sur le déclencheur, et sut que la photo serait bonne. Il la doubla, juste pour avoir un négatif supplémentaire et pouvoir s'amuser.

Quand il eut terminé, il passa la bandoulière de l'appareil sur son épaule, replia le pied. Il alla chercher le thermos dans le pick-up, se versa une tasse de café, dépiauta un Milky Way, et s'assit sur un rocher. Il contempla le Pacifique, tout en caressant les oreilles de Highway. Il se remémora le couple âgé chez qui il avait logé pendant près de deux semaines, lorsqu'il était en Ecosse. Ils avaient fêté leur cinquantième anniversaire de mariage durant son séjour, le village avait organisé en leur honneur une grande fête animée par des violoneux et des cornemuseurs. C'était très gai. Une jeune femme avait essayé de lui apprendre une danse traditionnelle, et son imitation piteuse des pas et de l'allure conquérants d'un highlander avait fait hurler de rire les villageois. Robert Kincaid avait ri, lui aussi.

Il avait offert à ce couple deux tasses à thé et leurs soucoupes, en porcelaine de Chine. Pendant neuf ans, ils avaient régulièrement correspondu, puis il n'avait plus eu de nouvelles d'eux. Un jour, il avait reçu une lettre d'un voisin qui lui annonçait qu'ils étaient morts, à deux mois d'intervalle. La femme était décédée la première, l'homme l'avait bientôt suivie dans la tombe. Le voisin n'expliquait pas de quoi elle était morte, mais il disait que le mari était parti d'une crise cardiaque.

Un banc de nuages s'était formé au-dessus de l'océan, au loin. Autour du rocher, cependant, le soleil était chaud. Robert Kincaid mastiquait sa barre chocolatée. Il ne savait pas trop depuis combien de temps il était là, peu lui importait.

6

Francesca

Un autre matin d'un autre jour, au déclin d'une vie. Francesca Johnson mit ses bottes de cow-boy aux talons usés, et se prépara pour sa sortie quotidienne. Elle attacha ses longs cheveux, enfonça un béret sur sa tête, décrocha sa veste en laine de la patère, près de la porte de la cuisine. Le chemin qui menait à sa ferme était truffé d'ornières et, en le descendant pour rejoindre la route, elle prit mentalement note de demander à Tom Winkler de venir avec sa niveleuse pour arranger ça avant l'hiver. Une fois que les grands froids de l'Iowa étaient installés, il fallait attendre le printemps pour aplanir le sol.

Novembre... Le soleil avait perdu son ardente couleur orangée de l'été pour prendre une teinte jaune très pâle. Mais aujourd'hui, il n'y avait pas de vent. La promenade serait agréable, même s'il faisait frais.

Elle tourna à droite, en direction du pont Roseman. Elle parcourut huit cents mètres sans rencontrer personne, observant les champs qui bordaient la route. On avait rentré les récoltes un mois plus tôt, et l'Iowa commençait à se recroqueviller dans l'attente d'un nouvel et interminable hiver. Un camion qui transportait des céréales la dépassa, il allait vers Winterset. Le conducteur agita la main, et Francesca fit de même. Quelques minutes après, elle entendit un autre véhicule, derrière elle, et se mit sur le bas-côté.

Floyd Clark, au volant de son pick-up Chevy flambant neuf, freina et s'arrêta.

– Bonjour, Franie. Comment va ?

– Bonjour, Floyd. Oh, je vais bien. Je calfeutre les fenêtres, et je protège celles qui donnent au nord avec une bâche en plastique. Je prépare la maison pour l'hiver.

Elle espérait que Floyd ne profiterait pas de l'occasion pour l'inviter encore à dîner.

– Ben, si vous avez des choses trop lourdes à porter, mon fils Matt et moi, on viendra vous aider. Il a le dos solide, lui, contrairement à nous, les vieux. On en a transbahuté plus qu'on aurait dû le faire, on s'est usé les vertèbres.

Elle le remercia. Il avait raison : chez les habitants de l'Iowa rural, les problèmes de dos étaient endémiques. Il y avait toujours un fardeau à soulever ou à déplacer, personne alentour pour vous donner un coup de main, et ça ne pouvait pas attendre, croyait-on. Alors on le faisait, puis on en subissait les conséquences. Pendant les dix dernières années de sa vie, Richard avait beaucoup souffert du dos.

La déraison l'emportait sur la raison, pensa-t-elle, c'était un exemple parmi tant d'autres, et elle ne connaissait que trop ce sujet. Mais elle connaissait aussi l'inverse. Sur ces questions-là, qui savait où était la vérité ?

Floyd tripotait son rétroviseur. Quels prétextes cherchait-il pour l'inviter ? Le bal de la Saint-Sylvestre au mess de la Légion, peut-être.

Floyd Clark n'avait aucun défaut qui la gênait, aucune qualité non plus qui l'attirait. Ses sentiments à son égard se résumaient à ça, elle préférait simplement ne pas nouer de relation avec lui, aussi banale et anodine fût-elle. Elle ne craignait pas les ragots qui ne manqueraient pas de courir ici et là (« Floyd Clark fait la cour à Frannie Jonhson. Je le comprends. Elle est encore drôlement bien pour son âge, et Marge, quand elle était de ce monde, lui a tellement cassé les pieds. » « Je sais pas, Arch, y a quelque chose qui cloche chez Mme Jonhson, quelque chose de différent, je pourrais pas expliquer quoi au juste, on dirait qu'elle est pas comme nous »). Francesca, tout bonnement, n'était pas intéressée et s'efforçait de ne pas être trop brutale.

Elle biaisa et proféra un demi-mensonge :

– Cette année, il se peut que j'échappe à l'hiver. Michael m'a invitée en Floride pour les vacances. L'idée me plaît bien, je crois que je vais le prendre au mot.

Michael ne l'avait pas encore invitée, néanmoins il le ferait. Elle était allée chez lui une fois, or ça lui avait suffi. Les enfants étaient adorables, mais cette atmosphère de fête, artificielle, l'avait mise mal à l'aise. En outre, la nouvelle épouse de Michael, la deuxième, avait été assez distante avec elle.

Les traits de Floyd Clark s'affaissèrent quelque peu, mais il se ressaisit vite.

– Oh, je vous comprends. Marge et moi, on a passé plusieurs hivers à Brownsville, au Texas, et on était rudement contents, nous aussi, d'échapper un moment au froid.

Francesca se souvenait fort bien de Marge Clark racontant sur tous les tons de la gamme leurs pérégrinations hivernales à Brownsville. Les activités en groupe, les parties de galet et les tournois de golf, les cocktails et les soirées dansantes, organisés par la Chambre de Commerce de Brownsville.

Elle se tut, contempla ses bottes ; le silence entre eux s'épaissit, devint gênant.

– Bon, dit-il enfin. Vaut mieux que je rentre vérifier que Matt n'a pas hypothéqué la ferme pour financer un de ses sempirternels projets d'expansion. Vous allez garder vos terres, Frannie ?

— Je crois, Floyd. Je ne pense pas à m'en séparer, même si toutes les semaines j'ai un coup de fil d'un promoteur quelconque qui veut me convaincre de les mettre en vente. Les prix sont élevés, pour l'instant, je suppose.

Elle ne précisa pas les raisons qui l'incitaient à rester ici, dans le comté de Madison. Elle ne dit pas qu'il y avait quelque part dans le vaste monde un homme nommé Robert Kincaid qui viendrait peut-être un jour la chercher. C'était un espoir naïf, romantique, digne d'une gamine, pourtant elle s'y accrochait.

— Ouais, ça grimpe. Les soixante-dix hectares qui touchent notre propriété sont à vendre, le fiston me serine à longueur de temps qu'on devrait les acheter, pour investir. Comme il dit, ça servirait au moins à ça.

Francesca esquissa un sourire, qui n'était pas une approbation mais plutôt un signe d'attention. Elle s'ennuyait et souhaitait que Floyd s'en aille.

Il attendit encore quelques secondes, puis :

— Prenez soin de vous, Frannie. A bientôt.

— Au revoir, Floyd. C'était gentil de vous arrêter pour me dire bonjour.

— C'est toujours un plaisir de vous voir.

Floyd Clark démarra et s'éloigna, cahotant dans les ornières, pour rejoindre son fils Matt et ses projets d'expansion. Il finirait par donner son accord à Matt, et ils paieraient les soixante-dix hectares deux fois ce que valaient les terres agricoles. Dans dix-huit mois, les prix chuteraient de quarante pour cent dans l'Iowa, le Middle West traverserait une nouvelle période de récession, et Floyd reprocherait aux banquiers de l'avoir mis dans la panade.

Quelques minutes après sa conversation avec Floyd, Francesca atteignit un virage et aperçut le pont Roseman. Comme toujours, son cœur se dilata. Elle se remémora le jour où elle avait pris ce virage dans un pick-up baptisé Harry, en plein mois d'août, alors qu'un soleil de plomb écrasait la campagne et que Robert Kincaid venait juste d'entrer dans sa vie.

Elle se rappelait le sourire qu'il avait eu en voyant le pont. Il avait dit :

– C'est superbe. A l'aube, ce sera parfait.

Sa sacoche en bandoulière, il avait déambulé sur la route, observant le pont, calculant comment il le photographierait. Et elle se souvenait des marguerites qu'il avait cueillies pour la remercier de lui avoir montré le pont.

Ensuite, ils avaient bu du thé glacé dans la cuisine et parlé de leurs vies respectives. Ils avaient aussi bu de la bière bien fraîche, qu'il gardait dans sa glacière.

Elle avait préparé une potée de légumes. Ils avaient fait une balade dans les champs. Pris le café et du cognac.

Le pont Roseman était figé dans cette triste matinée de novembre, chahuté par un vent de nord-ouest qui soulevait et éparpillait les chardons brunis et les dernières feuilles d'automne. La peinture gris et rouge fané du pont s'écaillait, il penchait beaucoup plus qu'en 1965, comme s'il essayait de toucher l'eau qui coulait au-dessous. Il semblait mourir de mort lente après une centaine d'années d'existence, et ce dans l'indifférence générale.

La rivière, en cette saison, était peu profonde et limpide, bientôt elle capitulerait et serait gelée tout l'hiver. Pour l'heure, elle bouillonnait et écumait autour du rocher sur lequel Robert Kincaid s'était perché et avait levé les yeux vers Francesca Johnson qui le regardait depuis le pont couvert, par un interstice entre les planches.

Certaines choses durent, pensa-t-elle, les rochers et les rivières, les vieux ponts couverts. D'autres choses s'en vont, les chaudes nuits d'août et tout ce qu'elles ont à offrir, et nous continuons sans elles, puis nous mourons sans laisser aucune trace de nous-mêmes, ou de la jumelle débauchée et aimée qui partageait l'âme et le corps d'une épouse de fermier de l'Iowa.

Elle sourit en se rappelant une anecdote que Robert Kincaid lui avait racontée. Il était sous un autre pont, ailleurs, chaussé de hautes bottes en caoutchouc, il utilisait un grand angle pour donner l'impression que le pont filait vers l'horizon, au-dessus de lui. Quand il avait achevé sa prise de vues, ses bottes étaient enfoncées dans la vase. Il avait perdu l'équilibre et basculé en arrière, en s'efforçant de préserver son appareil. Il était tombé comme une masse, sur le dos. Mais ses bottes étaient restées toutes droites dans la vase.

– J'étais là, vautré dans la gadoue, à regarder le ciel et à rire. J'ai réussi à me relever, en chaussettes, et je suis allé me nettoyer un peu plus loin, dans le courant. J'avais mes photos, pour moi c'est ce qui passe avant tout.

Elle lui avait fait remarquer qu'il avait une grande capacité à se moquer de lui-même. Elle l'avait noté à plusieurs reprises durant ces journées passées ensemble.

Il avait répondu en souriant :

– J'ai toujours pensé que la maturité se mesure à deux facteurs principaux. D'abord, la faculté de rire de soi. La plupart des gens parlent d'eux-mêmes et de leur vie avec une gravité excessive, ils ont du mal à voir qu'au bout du compte tout cela est absurde.

Moi, je m'amuse des idioties que je fais. Et comme j'en fais beaucoup, je suis bien entraîné à rire.

Francesca lui avait demandé quel était pour lui le deuxième critère de maturité.

– La faculté d'admirer l'œuvre d'autrui, d'en être heureux, au lieu d'en être jaloux, avait-il dit sans hésiter. Je me rappelle la première fois que j'ai entendu du Bach, le bonheur que j'ai ressenti. Par la suite, je me suis souvenu de ce bonheur, plus que du morceau de Bach, et j'ai essayé de garder cet état d'esprit. Un jour à Paris, avant la guerre, j'ai eu l'occasion d'écouter un guitariste. Un gitan, Django Reinhardt, qui se servait seulement de deux doigts – il avait perdu l'usage des deux autres, ils étaient brûlés. Pourtant il jouait avec une agilité et une pureté incroyables. En l'écoutant, j'ai eu la même réaction. De l'admiration, pas de l'envie.

Il avait levé sa main gauche, replié l'annulaire et l'auriculaire sur sa paume, remué le majeur, le pouce et l'index, comme s'il jouait de la guitare.

– Quelque part dans mes archives, j'ai un portrait de Django Reinhardt adossé à un mur, une cigarette à la bouche, un trench-coat sur les épaules. Juste deux doigts et le pouce. Incroyable.

« Il y a aussi les photos de la révolution mexicaine prises par un type dont je ne connais pas le nom, qui travaillait avec un matériel et des pellicules beaucoup plus rudimentaires que les miens. Des photos magnifiques, un travail remarquable. Et les sculptures de Theodore Roszak, les tableaux de Picasso, tout le reste. Au lieu d'être jaloux, il suffit de sourire et d'essayer de s'améliorer. De repousser ses propres limites, plutôt que de chercher les moindres défauts dans l'œuvre des autres. Mais beaucoup font le contraire. Sans doute parce que c'est plus facile de s'apitoyer sur son sort.

Il s'était interrompu, avait souri à nouveau.

— Posez une simple question à un solitaire endurci comme moi, et vous aurez droit à un sermon que vous ne réclamiez pas. Excusez-moi.

Seize ans plus tard, Francesca promenait sa main sur le côté gauche du pont, où elle avait glissé un billet pour lui. *Si vous souhaitez un autre dîner, à l'heure où « volent les phalènes blanches », venez ce soir après votre travail. Quand vous voulez.*

Mon Dieu, qu'est-ce qui l'avait poussée à faire ça, elle se le demandait, se l'était si souvent demandé. Le risque, les dés jetés d'un coup dans une vie irréprochable. Cette jumelle débauchée et aimée qui avait surgi et pris sa place pendant les quatre jours d'un drame si étrangement condensé et pourtant jamais achevé.

Oh, mais je le referais avec lui, parce que c'est lui. Voilà mon péché capital, je crois : sauf à de rares moments, par-ci par-là, je n'ai aucun remords et n'en aurai jamais.

L'envol d'un pigeon qui quittait son perchoir sous la toiture du pont la fit tressaillir. Elle retira sa main qui caressait le bois usé par les ans, et rebroussa chemin pour rentrer à la maison, d'un pas dont le rythme évoquait celui de la majeure partie de son existence, une cadence si lente, si modérée, qu'elle en avait eu parfois envie de hurler. A sa manière, Robert Kincaid l'avait aidée à étouffer ce hurlement et, après, elle avait pu continuer.

7

L'élégance du hasard

Robert Kincaid dérivait vers le sud à travers l'Oregon, en longeant la côte. Il avait fait ce parcours plusieurs fois – pas depuis sept ou huit ans néanmoins – et il lui semblait redécouvrir cette partie de l'Amérique.

Dans la baie de Coos, des hommes déchargeaient un cargo ; Kincaid avait pris, avec son objectif de 200 mm, un débardeur qui levait haut les bras pour guider le filet. A Bandon, il avait vu une vieille bonne femme qui ratissait les plages depuis des décennies et exposait ses trouvailles autour, à l'intérieur et sur le toit d'une petite cabane. Elle était largement octogénaire, elle avait des cheveux gris tout ébouriffés, une figure érodée par le vent marin. Mais elle possédait l'énergie et la vivacité d'un être beaucoup plus jeune.

Elle avait repéré Kincaid qui furetait autour de la clôture constituée de piquets où pendaient une cinquantaine de bouées, de couleurs diverses et pareillement fanées.

– Entrez, mon gars, et regardez. J'ai des tas de jolies choses que vous pourriez ramener chez vous comme souvenirs.

Elle avait des bouteilles provenant d'Australie, charriées par l'océan, et que les tempêtes et les marées avaient rejetées sur la côte. Des bois flottés incrustés de bouts de filets. Un morceau de la coque d'un bateau de pêche appuyé contre la balustrade du porche, où était posé un manche de rame brisé. A ce manche était accrochée par une ficelle une dent de requin. Le nombre d'objets semblait infini et, d'ailleurs, s'approchait sans doute de l'infini plus que tout autre chose, hormis certaines constructions de l'esprit en matière de physique, de mathématique et de sentiments humains.

Kincaid remarqua que le soleil de cette fin de matinée éclairait, dans l'une des fenêtres, un ensemble banal de bouteilles de différentes tailles. Il demanda l'autorisation de les photographier. Elle répondit que, du moment qu'il ne cassait rien, c'était d'accord, et elle se mit à nettoyer des coquillages.

Il examina les bouteilles. La lumière passait au travers d'un pot en verre ébréché, était réfractée sur une grosse bouteille verte, puis déviée à nouveau pour s'insinuer dans une fiasque de vin, élancée, avec l'inscription *Italie 1940* gravée sur le côté. On avait ainsi une série de prismes lumineux et plusieurs couleurs de verre combinées. Aucun photographe de natures mortes, disposant de tout le temps et des moyens nécessaires, dans un studio sophistiqué, n'aurait pu concevoir composition plus soignée. En outre, l'élégance du hasard avait toujours fasciné Kincaid. La beauté de la fantaisie, comme il disait. Des sujets semblables, il y en avait partout, si on savait les voir. Il lui fallut quinze minutes pour régler le cadrage et vingt secondes pour prendre la photo [1].

Quand il eut rangé son appareil, Kincaid demanda à la femme combien elle voulait pour la bouteille de vin italienne. Elle plissa les yeux, détailla ses vêtements ordinaires, et dit que deux dollars, ça irait. Puis elle enveloppa la bouteille dans du papier à bulles et l'entoura de ruban adhésif.

– J'ai quelques vertèbres de baleine rudement bien, là-bas au fond, si vous aimez ça.

Kincaid la remercia, mais déclara que, pour l'instant, il n'avait pas vraiment besoin de vertèbres de baleine. Et il reprit la route en direction du sud, le long de l'océan.

---

1. Cette photographie des bouteilles, signée Kincaid, fut achetée par un collectionneur et, en 1993, prêtée au San Francisco Museum of Fine Arts pour une exposition intitulée : « La photographie américaine : vies nomades et trouvailles inattendues. » (*N.d.A.*)

Puis ce fut Gold Beach, à l'embouchure de la Rogue River. Il photographia un bateau à demi enlisé – cinq poses supplémentaires de sa pellicule Technical-Pan. Un homme s'arrêta pour lui parler, expliqua qu'il allait livrer du ravitaillement à un restaurant touristique en amont et que, si Kincaid voulait lui tenir compagnie, il lui offrirait le casse-croûte. Highway se méfiait visiblement du canot automobile, mais Kincaid l'installa à bord, et ils démarrèrent dans un rugissement terrible. Le chien avait les oreilles au vent, les yeux agrandis de terreur. Trois heures après, ils étaient de retour à l'embouchure de la Rogue. Kincaid dénicha un motel tout près de l'eau, qu'il quitta le lendemain matin de bonne heure.

En fin d'après-midi, il était dans le nord de la Californie et traversait une région boisée. Une demi-heure plus tard, il arrivait à Mendocino, qui avait l'air d'un village de pêcheurs de Nouvelle-Angleterre transplanté sur la côte Ouest – avec ses toits patinés par les intempéries, ses palissades et ses parterres fleuris entourés de pierres. Mendocino sommeillait sur une petite péninsule qui s'enfonçait dans le Pacifique, et à laquelle menait l'autoroute 1, bordée de forêts de séquoias.

Kincaid s'arrêta dans une station-service Chevron de la rue principale pour faire le plein d'essence. Il inspecta Harry sous toutes les coutures ; l'aspect du pneu avant gauche l'inquiéta. Le pompiste examina le pneu et décréta qu'il était dégonflé.

– Ça se pourrait qu'il y ait une fissure. Vous voulez que je regarde ?

Kincaid accepta et alla flâner dans la rue, observant les magasins. Des librairies, des antiquaires, deux bars, plusieurs restaurants, des galeries d'art. Il tourna dans Kasten, et s'immobilisa pour étudier les photographies exposées dans la vitrine d'une galerie. La photographe s'appelait Heather Michaels. Son travail était conventionnel mais bien léché, elle s'intéressait surtout aux paysages en noir et blanc. D'après le grain et la qualité du détail, Heather Michaels utilisait sans doute un appareil grand format, probablement un 4 x 5.

Robert Kincaid était là, immobile, les mains dans les poches, les yeux fixés sur les clichés. Highway, assis contre sa jambe gauche, regardait Kincaid regarder la vitrine. A l'intérieur, une femme svelte, âgée d'environ cinquante-cinq ans, qui portait une longue jupe grise, un corsage blanc au col boutonné et un châle noir sur les épaules, discutait avec une cliente.

Kincaid ne la voyait pas clairement à travers la vitre, d'ailleurs elle se tenait de profil, mais la façon dont ses longs cheveux étaient relevés et les gestes qu'elle avait pour vanter les qualités d'une des œuvres exposées attirèrent son attention. Une vague réminiscence lui effleura l'esprit, s'évanouit, revint. Un infime tressaillement dans les méandres de sa mémoire. Où ? Quand ? Ces longs cheveux, ces mains aux gestes presque musicaux...

La femme se déplaça pour montrer une autre œuvre à la cliente. Il distinguait mieux son visage, quoique les reflets de la vitre brouillent encore son image.

Dans la galerie, Wynn McMillan jeta un coup d'œil par-dessus l'épaule de la cliente et aperçut un homme d'allure singulière sur le trottoir. Ce fut ce qui émanait de lui qui éveilla sa curiosité. Grand et mince, il était en jean, chemise kaki et bretelles. Toutes sortes de personnages extravagants passaient par Mendocino, mais cet homme-là avait quelque chose qui sortait vraiment de l'ordinaire, quelque chose de presque familier.

Le soleil déclinant frappait le côté droit de son visage, ses longs cheveux gris étaient coiffés en arrière, avec la raie au milieu. Le vent marin les rabattait sur sa figure, et il y glissa les doigts pour les repousser, rajusta l'une de ses bretelles orange, toucha le couteau suisse dans son étui en cuir accroché à sa ceinture. Un nuage masqua un instant le soleil, l'homme se retrouva dans l'ombre, puis à nouveau dans la lumière.

Elle eut un frisson et ressentit un besoin impérieux d'aller parler à cet homme. Mais à ce moment, la cliente se décida pour une petite statuette en bois et une photographie de Heather Michaels. Tout en encaissant, Wynn continuait à observer l'homme qui semblait la regarder. La cliente, intriguée par son attitude, se retourna.

– Vous le connaissez ? demanda-t-elle, comme si elle se plaignait de ne pas avoir l'attention pleine et entière de Wynn McMillan.

– Oh, excusez-moi, je... oui, j'ai cru un instant que je le connaissais, mais non.

– Il est plutôt bizarre, n'est-ce pas ?

Sa cliente, une habituée de la galerie, très chic, affectait l'accent et les manières britanniques.

– Oui, en effet. Mais vous connaissez Mendocino. Ce ne sont pas les excentriques qui manquent, par ici.

Wynn emballa les achats. Quand elle regarda à nouveau dehors, l'homme avait disparu.

A la station-service, Robert Kincaid hésita, la main sur la poignée de la portière de Harry. Il faillit retourner à la galerie. Il avait toujours été gauche avec les inconnues, gêné quand elles lui adressaient la parole. Il réfléchit encore – quand, où ? –, secoua la tête comme pour s'éclaircir l'esprit, et démarra.

119

Lorsqu'elle eut fermé la galerie, à dix-huit heures, Wynn McMillan était toujours troublée par l'image de l'homme qui l'avait observée à travers la vitrine. Elle arpenta les rues de Mendocino pendant deux heures, dans l'espoir de le croiser. Bredouille, elle rentra chez elle par le cap. L'obscurité l'enveloppait, elle écoutait le bruit de ses pas, des vagues qui refluaient, du vent dans les cyprès. Elle songeait au temps où l'océan battait la côte de Big Sur, et où elle jouait du Schubert pour un homme qui revenait de la guerre.

Quatre-vingts kilomètres plus loin, au sud, Robert Kincaid regardait droit devant lui et écoutait le chuintement de ses pneus sur une route qui le mènerait à Big Sur, s'il continuait à la suivre le lendemain matin. Il pensait aux contre-tailles des existences, des lieux et des événements, des souvenirs tracés dans un espace à trois dimensions. Et des quartiers de cet espace découpés par le temps, tel un couteau dans une orange. Ce couteau-là était vieux de plusieurs décennies, émoussé, mais encore suffisamment tranchant pour que Kincaid lève les yeux vers son rétroviseur et s'interroge sur Mendocino.

Les questions, où et quand, avaient fini par former une vague hypothèse. Une coïncidence, oui. Peut-être. Mais si on devait écarter les coïncidences comme invraisemblables, alors que faire de l'essentiel de la vie, sans parler de l'existence elle-même ? L'élégance du hasard est partout, et le fait que nous vivions est en soi invraisemblable, se dit-il. Et quelque part, sur l'établi où la main du maître façonne le Qui et le Quoi, la chance et le grand dessein sont inséparables, l'improbable devient probable et l'inattendu est de règle.

Après s'être arrêté dans deux établissement qui refusaient les chiens, Robert Kincaid passa la nuit dans un petit hôtel de Sonoma. Allongé dans le noir, il s'interrogea à nouveau sur Mendocino. Et il songea au temps où il était jeune et endurci par ce qu'il avait vécu sur les plages de Tarawa. Rescapé ou libéré, selon la perspective où on se plaçait, il avait roulé sur les routes sinueuses de Big Sur, avec une femme derrière lui, dont le vent ébouriffait les cheveux. Maintenant qu'il était vieux, il remontait le courant, cherchant ce qu'il voulait se rappeler et pouvait presque se rappeler. Du moins peut-être, s'il s'obligeait à réfléchir longuement et honnêtement.

Avant de s'endormir cette nuit-là, Robert Kincaid eut deux dernières pensées : nier la coïncidence, tout en l'espérant, d'une certaine manière, désirer simultanément retrouver sa jeunesse et mourir là, tout de suite.

8

Big Sur, 1945

Wynn McMillan, chargée de son violoncelle et d'une valise, arriva à Big Sur dans la fourgonnette du facteur. Outre une finesse d'esprit charmante, qu'elle possédait depuis longtemps et qui était plus héréditaire que due à son expérience de la vie, elle était en pleine métamorphose. Sa silhouette et son comportement devenaient tout aussi charmants et gracieux. Ces qualités compensaient une apparence physique qui, à la base, était plutôt banale et anguleuse. Avec son corps filiforme et ses longs cheveux bruns, la plupart des gens auraient trouvé Wynn McMillan ordinaire.

Agée de dix-neuf ans et sans objectif particulier, sinon faire de la musique et mener la vie dont elle rêvait – c'est-à-dire romantique –, Wynn était optimiste, parce qu'elle était jeune et savait que le monde deviendrait meilleur. L'Allemagne avait capitulé devant les Alliés trois jours plus tôt, et l'Amérique était dans un état d'euphorie collective proche de l'extase. On voyait se profiler la fin du conflit. Pourtant, de l'autre côté du Pacifique, à Okinawa, la dixième armée de Buckner était toujours confrontée à une résistance japonaise acharnée. Le Japon était à cinq cents kilomètres du dixième parallèle, on prévoyait d'attaquer l'île de Kyushu en novembre.

Jack, le facteur, pilotait sa fourgonnette dans les virages en épingle à cheveux de la route sculptée dans la montagne à coups de dynamite, flanquée sur la gauche de la paroi rocheuse et, sur la droite, d'un à-pic de cent vingt mètres. Par moments, le capot du véhicule semblait pointer vers l'infini, et Wynn McMillan apercevait les falaises de Big Sur qui s'avançaient dans le Pacifique, s'éloignaient vers le sud, pareilles aux plis d'une lourde tenture noire.

Au-dessous d'eux, la brume s'étirait dans les canyons, l'océan se ridait chaque fois qu'une des huit mille vagues quotidiennes venait battre le rivage. Puis la route longea des prairies et traversa la vallée de Big Sur, Wynn vit des coquelicots et des lilas sauvages en fleur. L'avenir n'aurait pas pu lui paraître plus prometteur.

Elle était toute pimpante pour aborder cette nouvelle étape de sa vie. De l'autre côté du Pacifique, Robert Kincaid n'avait pas pris un vrai bain depuis des semaines, son battle-dress lui collait au corps comme de la chair en décomposition. Il l'ignorait, mais au cours des deux derniers mois, trois photos de lui avaient fait la une de grands magazines. Elles étaient accompagnées d'une simple mention : PHOTOS DE L' U.S. MARINE.

Wynn McMillan, assise près de Jake, avait un exemplaire de *Life* dans l'une des poches latérales de son énorme sac. Sur la couverture, on voyait un soldat attaquer un bunker au lance-flammes, des G.I. qui, derrière lui, escaladaient une colline. Kincaid avait pris ce cliché dix jours auparavant. Le soldat au lance-flammes avait sauté sur une mine et était mort trois heures après qu'il l'avait photographié [1].

Le chapeau en feutrine souple qui coiffait les longs cheveux bruns de Wynn semblait un peu trop chaud,

---

1. Sept photographies de Kincaid, prises dans le Pacifique, furent par la suite publiées dans une collection intitulée « L'Art et la Guerre ». Elles furent attribuées à un autre photographe qui s'était procuré les négatifs auprès de l'U.S. Marine Corps et affirmait en être l'auteur. Manifestement, Kincaid l'ignorait ou bien, parce que c'était sa nature, il s'en moquait et considérait qu'une telle malhonnêteté serait un jour punie par la justice immanente. Cinq ans après, un universitaire qui travaillait sur l'histoire de la photographie découvrit la chose et fit paraître un bref article afin de corriger cette erreur. Douze mille exemplaires du livre original, erronés donc, étaient dans les librairies et les mains des lecteurs. L'homme qui s'était approprié le travail de Kincaid devint un photographe célèbre, employé par un grand journal. Il prétendit que l'éditeur était responsable, qu'il avait fait une confusion. Jamais cependant il ne présenta d'excuses à Kincaid, et il continua à citer l'ouvrage dans son curriculum vitae. (*N.d.A.*)

par rapport à la légère robe printanière qu'elle portait, mais elle avait voulu mettre cette robe et ce chapeau, même si les matières ne s'accordaient pas.

Le père de Wynn McMillan, un respectable mercier de Monterey, n'aurait pas approuvé la tenue vestimentaire de sa fille. De toute façon, il n'approuvait quasiment rien de ce que sa fille faisait depuis quelques années. Le violoncelle était la seule exception. Il aimait l'écouter jouer pour lui, le soir après le dîner, lorsque la mère de Wynn, Irène – qui avait accompagné au piano les projections de films muets –, débarrassait la table. Il s'installait dans son fauteuil, vêtu de son pantalon en flanelle au pli impeccable, de sa chemise empesée et de son nœud papillon ; il fermait les yeux et dodelinait de la tête au rythme de la musique. Le dimanche de Pâques, lorsque le quatuor de sa fille jouait pour l'office du matin à l'église presbytérienne, il était particulièrement fier. Quand le violoncelle de Wynn résonnait, en *mi* majeur, Malcolm McMillan se retournait pour sourire aux fidèles qui lui souriaient en retour.

En dehors du violoncelle, cependant, le comportement de Wynn représentait pour lui une énigme. A l'instar de Robert Kincaid, elle ne s'était jamais beaucoup intéressée à l'apprentissage scolaire classique, et feignait souvent d'être malade pour s'épargner ce qu'elle considérait comme une corvée. Wynn passait ces journées-là avec son violoncelle et ses livres ; elle s'exerçait également à la peinture à l'huile. Ses prétendues maladies se prolongeaient toute la semaine, ce qui ne l'empêchait pas, le samedi et le dimanche, de travailler pour la Croix-Rouge des heures durant, d'aider à préparer des colis de médicaments pour les soldats qui se battaient en Europe.

Adolescente, elle s'était mise à porter des accoutrements bizarres, selon son père, un méli-mélo de foulards et de corsages, et, Dieu du ciel, de pantalons masculins qui allongeaient encore sa silhouette élancée, mince (certains auraient dit osseuse). Parmi les jeunes gens avec qui elle sortait parfois, aucun ne semblait suffisamment correct pour convenir à M. McMillan.

– Irène, notre fille ne connaît donc pas de garçon convenable qui ait des projets d'avenir ?

– Elle est indépendante, Malcolm. Je crois qu'elle a hérité du caractère rebelle de tous ces Ecossais dont tu lui as toujours fait l'éloge. J'ai souvent abordé le sujet avec elle, et elle se contente de rire et de répondre : « Oh, maman, franchement, je ne suis pas pressée de me marier. Il existe tout un monde de musique et d'art que je veux explorer. Papa aimerait que je me trouve un médecin ou un avocat, que j'aie des enfants et que je leur joue des berceuses au violoncelle, mais je n'ai même pas vingt ans. »

Malcolm McMillan qui, comme son épouse, pleurait la mort de leur fils tué lors de la prise de Salerne deux ans auparavant, fut donc bien désappointé quand Wynn annonça qu'elle partait pour Big Sur afin d'étudier la composition musicale avec le pianiste Gerhart Clowser. Big Sur, Malcolm n'en savait pas plus, était un repaire de libres-penseurs et de non-conformistes. Il avait aussi appris – un canular manigancé par certains résidents de Big Sur qui profitaient de la presse et de ses lecteurs assoiffés de sensationnalisme – que ce lieu de perdition abritait une secte qui prônait le sexe et l'anarchie. Cela avait encore ajouté à son désarroi.

Et les lettres de Wynn ne contribuaient pas à rassurer son père.

J'habite une cabane d'une pièce construite avec des caisses de dynamite récupérées sur le chantier de l'autoroute 1. Pas de réfrigérateur, pas de courant, et les toilettes sont dehors. Jake, le facteur, m'apporte du pétrole, du charbon, des œufs et toutes sortes de choses quand il revient de Monterey avec le courrier.

Les gens d'ici sont absolument fascinants. Des adeptes du bouddhisme zen, un spécialiste du folklore irlandais, et d'autres qui semblent posséder des connaissances immenses en matière d'art, d'archéologie, de linguistique, et ainsi de suite. Tout le monde ou presque fait de l'art, ça va de la sculpture à la poésie en passant par l'ébénisterie. Il ne faut pourtant pas se tromper : les résidents permanents travaillent, ils se battent jour après jour pour survivre. Les « personnages », comme dirait papa, sont nombreux, mais les tricheurs sont surtout ceux qui débarquent en prétendant être des artistes. Ils ne produisent jamais rien et ne restent pas très longtemps. La semaine dernière, l'un d'eux a pris le virage de Hurricane Point, qui est très dangereux, trop vite. Sa voiture a plongé du haut de la falaise et s'est écrasée sur les rochers. On est tous allés voir l'épave. Le corps du conducteur n'a pas été retrouvé.

J'apprends beaucoup sur la composition et la musique en général grâce à M. Clowser dont, entre parenthèses, les récitals sont très appréciés en Europe. Devinez où je l'ai vu la première fois ? En train de jouer sur un piano droit, devant le chalet d'Emil White près de l'autoroute. Il dit que c'est le seul piano dont il peut disposer.

Je vous laisse, je dois aider des gens à couper du bois, ensuite nous descendrons aux sources thermales de Slate, qui sont bouillantes, et où nous avons l'habitude de nous baigner tout nus.

Je m'amuse bien, je gagne un peu d'argent grâce à des petits boulots et aux leçons de violoncelle que je donne à une jeune femme et à une poétesse de huit ans. Une devinette : savez-vous qui vit dans un chalet de Partington Ridge ? Henry Miller en personne ! Je ne le connais pas encore, mais j'espère le rencontrer bientôt.

Tendrement,

WYNN

– Qui est cet Henry Miller ? demanda Malcolm McMillan à son épouse.

– Un écrivain.

– Et quel genre de livres écrit-il ?

– Malcolm, je ne crois pas que tu tiennes à le savoir.

– Mais si.

– Il est l'auteur, notamment, de *Tropique du Cancer*. On ne peut pas se procurer cet ouvrage aux Etats-Unis.

– Pourquoi ?

– Il est interdit pour obscénité.

– Obscénité ? C'est-à-dire ?

– Malcolm, je te le répète, je ne crois pas que tu tiennes vraiment à le savoir.

Quatre mois après que Wynn McMillan se fut installée à Big Sur, arrivait un motard solitaire qui suivait la route qu'elle-même avait prise, en direction de Sur Hill Thrust. Pour un observateur posté sur les hauteurs volcaniques de Point Sur, près du phare, et qui aurait regardé vers l'intérieur des terres, au-delà des champs de lupins argentés, le motard n'aurait été qu'un point contre les falaises de Santa Lucia, ou une silhouette qui traversait les ponts. Un éclat de lumière se serait peut-être reflété de temps à autre sur les chromes de son Ariel Four.

Depuis sa conception en 1929, l'Ariel Four était une moto remarquable, pour qui s'intéressait davantage aux performances du moteur qu'à l'allure générale de la machine. Robert Kincaid n'était pas un connaisseur : sa moto lui plaisait, et il aimait simplement la piloter. Après ces années de guerre, où il n'avait pu se déplacer sans rester sur ses gardes, la peur au ventre, où il avait dû vivre dans la promiscuité, avec des milliers d'hommes, dans des navires et des bunkers, l'Ariel découverte dans un magasin de San Francisco lui paraissait un instrument de liberté.

– Un spécimen rare, je l'ai acheté à un Anglais qui retournait chez lui pour défendre son pays, lui avait dit le vendeur. Faites un peu de route avec, vers le sud, avec tous ces virages et ces ravins, ça vous donnera l'occasion de la tester. Mais, attention. Vous tournez cette poignée, là, et vous vous retrouvez à plus de cent sans vous en rendre compte.

Big Sur était dans sa belle saison, entre les brumes de l'été et les pluies hivernales. Les sycomores, les érables et les chênes flamboyaient, lorsque Robert Kincaid franchit le pont qui enjambait le Bixby Creek. Il transportait sur le porte-bagages son sac de couchage, un petit sac marin plein de vêtements et

131

le reste de son matériel. Tout était soigneusement rangé, tout sauf ses souvenirs de la guerre qu'il venait de quitter.

Plus bas sur la côte, il ralentit quand il vit un homme âgé et une jeune femme qui interprétaient un duo piano-violoncelle en plein air, devant un chalet. Il coupa le moteur et écouta. Le bruissement des feuilles de chêne se mêlait à la musique, et les sensations qui inondaient son esprit lui donnaient presque le vertige. Il n'y avait pas si longtemps, ailleurs, c'étaient les tirs au mortier, les hurlements et le fracas des chars qu'il entendait, et maintenant la musique et le froissement des feuilles d'automne. Le vieil homme secouait la tête, penché sur le clavier, la jeune femme, son violoncelle entre les cuisses, se concentrait sur le pianiste qui, parfois, levait la main droite pour diriger le tempo.

A un moment, il s'arrêta et dit :

— Allegro, mademoiselle McMillan, certes, néanmoins Rachmaninov n'est pas un cheval de course. Allegro, pas presto, et je voudrais un toucher plus léger, s'il vous plaît. Nous reprenons à la mesure quarante-deux.

Il marqua le rythme et se remit à jouer, la femme l'imita. Appuyé contre l'Ariel, Robert Kincaid, qui avait trente-deux ans et était fatigué des tueries dont il avait été témoin, écoutait.

Peu à peu, des gens vinrent s'asseoir dans l'herbe pour écouter aussi la musique. Ils étaient habillés très simplement, les hommes ressemblaient plus à des bûcherons qu'aux artistes illuminés qui étaient censés vivre à Big Sur. Lorsque la leçon s'acheva, ils s'approchèrent pour serrer la main à Kincaid, chaleureux et amicaux. La violoncelliste rangea son instrument dans une housse en toile et les rejoignit.

L'un des hommes dit :

– A cette époque de l'année, les cirrus sont très hauts dans le ciel, ce qui nous donne de magnifiques couchers de soleil. Nous allons sur la plage admirer le spectacle. Suivez-nous, si vous voulez. Harvey, que voici, doit faire griller une truite fraîchement pêchée dans la rivière, je vous garantis que ce sera succulent. Un jour, il a même rôti un pingouin qui avait été tué sur l'autoroute, et je vous assure que c'était délicieux.

La nuit tomba, ils dégustèrent la truite de Harvey, parlèrent ; un certain Hugh joua de la harpe celtique. Les vagues qui battaient les rochers évoquaient le grondement des canons de lointains navires de guerre. Pour Robert Kincaid, récemment revenu d'une boucherie sanglante, c'était un autre monde, à la fois réel et irréel. Il était ballotté entre cette gaieté spontanée et paisible, ces voix qui discutaient de philosophie, d'art et de musique, et ce qu'il avait vu, ailleurs. Son visage avait la couleur du cuivre, son regard était celui d'un vieillard, et quand quelqu'un l'interrogeait sur sa vie, il répondait seulement qu'il avait voyagé.

La violoncelliste, qui se prénommait Wynn, s'aperçut qu'il ne parlait guère et s'assit près de lui pour l'arracher à son mutisme. Elle se présenta, lui serra la main. Il lui dit son nom, mais comme cela se produit dans ce genre de réunions improvisées, on n'enregistre pas vraiment le nom des inconnus, ils ne s'inscrivent pas dans la mémoire.

Après avoir bavardé avec lui pendant une vingtaine de minutes, elle demanda :

– Quel est votre prénom, déjà ?

– Robert. Et le vôtre, c'est... Wynn, n'est-ce pas ?

– Oui, un prénom écossais, répondit-elle, et elle le lui épela. Mon père est très fier de ses origines.

Elle observait Robert Kincaid à la lueur du feu de camp allumé sur le sable, et remarqua ce que chacun remarquait en premier lieu chez lui : ses yeux. Des yeux qui semblaient regarder au travers et au-delà de ce qu'ils voyaient. Dans son regard, comme dans ses mouvements, on percevait une qualité qui était à la fois redoutable et attendrissante, on devinait le guerrier et l'ombre du poète, comme si ces deux entités ne formaient qu'un être et que, pourtant, une part de lui fût à jamais disparue. Elle avait le sentiment que, si elle approchait de lui un miroir, il s'y refléterait quelque chose d'étrange et de primitif.

– Qu'est-ce que vous faites ? Pour gagner votre vie... Je vous ai entendu dire tout à l'heure que vous aviez voyagé.

– J'étais dans le Pacifique Sud, dans les Marines. Il n'y a pas longtemps que je suis rentré. Avant la guerre, j'étais photographe et j'essaie de le redevenir.

– Et que faisiez-vous dans les Marines ?

– La même chose, de la photo.

Robert Kincaid contemplait le sable. Il s'étonnait d'être tranquillement assis là, au lieu de traîner sa carcasse sur cette plage, sous la mitraille. Un instant, il fut de retour dans les atolls, il se penchait sur son assistant, appelait un infirmier à l'aide.

Mais une femme lui parlait :

– Je viens ici quelquefois, l'après-midi, avec mon violoncelle. Pour répéter. Vous n'avez qu'à me rejoindre demain, si vous en avez envie. Nous pourrions pique-niquer.

Le feu s'éteignait, les gens se dispersaient, s'en allaient retrouver leur chalet sur les coteaux ou dans les canyons.

Une autre voix, sur la droite de Kincaid, disait :

– Ça ira, Jake apportera du pétrole mercredi. J'en ai commandé assez pour plusieurs mois, je vous en donnerai.

Ils saluèrent Kincaid, dirent qu'ils avaient été ravis de le rencontrer, puis s'éloignèrent dans la nuit. Un certain Lawrence lui offrit l'hospitalité ; Kincaid accepta et le remercia.

Les vagues battaient les rochers, dans un fracas qui, comme auparavant, évoquait le grondement des canons des navires américains. A Betio, l'infirmier avait examiné l'assistant de Kincaid et dit : « Terminé, il est mort avant de toucher le sol. Foutus snipers, avait-il ajouté en arrachant la plaque d'identité militaire du gamin qui apprenait la photographie avec Kincaid. Faites gaffe à baisser la tête, ils sont planqués là-bas, sur ce rafiot japonais. »

— Alors ? lui dit la jeune femme. Pique-nique ou non ?

— Oh, oui. Je... c'est une bonne idée. Avec plaisir.

— Très bien. Je vous attendrai à la sortie de l'autoroute vers deux heures. Après-demain, nous devons rendre visite à Henry Miller. Si vous voulez vous joindre à nous, vous serez le bienvenu.

Kincaid connaissait Henry Miller. Quoique ses ouvrages fussent interdits aux Etats-Unis, les soldats qui se battaient à l'étranger n'avaient aucun mal à se les procurer.

— Ce serait intéressant. Je n'ai pas forcément une passion pour ce qu'il écrit, mais ça devrait... enfin... ça devrait être intéressant.

– Oh, pour l'instant, Henry est inoffensif. Il vit comme tout le monde, ici. Il évite les gens trop crédules qui viennent en pèlerinage pour l'apercevoir et s'attendent à trouver des corps nus partout, dans les postures les plus indécentes.

Malcolm McMillan considérait toujours sa fille comme une gamine de quinze ans, une grande godiche qui n'avait pas assez de chair sur les os.

– Cette petite a besoin de manger davantage, disait-il à son épouse.

– Malcolm, tu n'es pas assez attentif. Depuis deux ans, elle a pris des formes tout à fait féminines. La façon dont elle s'habille, la plupart du temps, les cache. Et elle a perdu sa gaucherie. A mon avis, elle est même devenue plutôt gracieuse.

Malgré le pantalon informe et le léger sweater qu'elle portait, Robert Kincaid, lui, remarqua les formes et les courbes de Wynn McMillan, lorsqu'il arrêta son Ariel à la sortie de l'autoroute, où elle l'attendait. Il retrouvait à peine un soupçon de virilité, de désir. Il avait connu l'abstinence, contraint et forcé par la guerre sur des îles coupées du monde, il avait focalisé son énergie sur la nécessité de rester en vie et de faire son boulot. Dans ces conditions, hormis les infirmières, aussi exténuées et usées que

137

les soldats, les femmes avaient été des abstractions : Rita Hayworth en pin-up dans les cabines surpeuplées d'un bâtiment de transport de troupes, le portrait de Lauren Bacall qu'un G.I. gardait dans sa poche de poitrine, les photos d'épouses et de fiancées qu'on montrait aux autres pour qu'ils les admirent et se sentent moins seuls. Et, bien sûr, la voix radiophonique, suave et enjôleuse, de toutes ces créatures affublées d'un nom générique – Tokyo Rose – qui encourageaient les G.I. à déserter, à cesser de combattre pour une cause désespérée.

Mais le soleil était chaud, et Robert Kincaid avait devant lui un après-midi qui était une autre vie, en quelque sorte, une récompense que lui accordait la Providence. Il ne la méritait ni plus ni moins, estimait-il, que tous ceux qui étaient tombés pendant qu'il les photographiait. Seize millions d'Américains avaient été mobilisés, quatre cent mille étaient morts au combat. Les Japonais avaient perdu deux millions d'hommes.

– Bonjour, lui dit-il en descendant de l'Ariel.

Elle souriait, et Kincaid la trouva jolie.

– Bonjour. Belle journée, hein ?

Il réalisa que c'était le moment de sourire. Il essayait de réapprendre à sourire et à rire comme les gens sains d'esprit.

138

– Les journées sont toujours belles à Big Sur. Si vous restez, vous verrez.

Elle inclinait la tête sur le côté – une invite.

Kincaid continua à sourire et tapota le siège de l'Ariel. Il lança un coup d'œil au violoncelle et au panier de pique-nique posés à côté d'elle.

– Il nous faudrait un spécialiste de la logistique, l'officier que nous avions pour le débarquement à Guadalcanal, bien que ça ait tourné au désastre. Comme j'ai besoin de mes deux mains pour conduire la moto, je vais attacher votre panier et mon sac sur le porte-bagages. Si vous pouvez tenir le violoncelle par la bandoulière de la housse, vous n'avez qu'à monter derrière moi. Je ne roulerai pas vite et j'essaierai de stopper la machine avant qu'on soit dans l'eau.

Ils descendirent vers la plage. Le soleil se faufilait entre les feuilles des sycomores qui ombrageaient le chemin. Kincaid gara l'Ariel contre une falaise, à trente mètres du Pacifique. Ainsi la marée haute ne l'atteindrait pas.

Wynn McMillan pointa le doigt vers le nord.

– On pourrait contourner cette pointe de terre, là-bas. De l'autre côté, il y a une adorable petite plage à l'abri du vent. Seulement, il faut surveiller la marée. Quand elle monte, on est coincés. On n'a plus qu'à attendre qu'elle soit à nouveau basse, ou à escalader les falaises.

Son bidon de soldat accroché à sa ceinture, sur la hanche gauche, son couteau suisse sur la droite, Robert Kincaid prit le violoncelle et son sac marin. Elle portait le panier d'osier qui contenait des sandwichs au jambon, de la salade de pommes de terre et deux bouteilles de vin rouge. Au départ, elle n'avait prévu qu'une bouteille puis, en repensant à l'expression qu'il avait la veille, à la lueur des flammes, elle avait décidé qu'une deuxième bouteille ne serait peut-être pas inutile. On ne savait jamais.

Elle parlait de musique, de l'océan, du fait qu'elle aimait Big Sur de plus en plus. Il remarqua les gestes de ses mains, de vives arabesques, quasi musicales. Il la regarda ramasser des coquillages et se dit qu'il n'avait pas prêté attention aux coquillages depuis très longtemps ; ils pouvaient être terriblement coupants quand on tombait ou rampait dessus en débarquant sur une plage.

Elle lui jeta un coup d'œil par-dessus son épaule, sourit gentiment, avant de se retourner et de demander :

– Pourquoi portez-vous à la fois un ceinturon et ces larges bretelles ? Est-ce le signe d'une angoisse quelconque ?

– Je ne les mets pas en permanence, répondit-il

en riant. Mais quand j'accroche un bidon, un pose-mètre, mon couteau et quelques autres bricoles à ma ceinture, mon pantalon a tendance à glisser. Les bretelles règlent le problème.

Au bout d'une demi-heure de marche dans le sable compact, alors que Kincaid savourait la curiosité enthousiaste qu'inspirait à la jeune femme tout ce qui l'entourait, qu'il savourait le balancement de ses hanches, ils contournèrent la pointe de terre.

Plus tard, il écrirait ceci :

Nous sommes arrivés sur la petite plage en milieu d'après-midi, nous avons retiré nos chaussures pour traverser un ruisseau peu profond qui descendait de la montagne et se creusait un lit dans le sable avant de se jeter dans le Pacifique. L'eau de ce ruisseau avait une couleur bizarre, violette ; j'ai compris ensuite qu'elle était due aux roches volcaniques. Je contemplais les vagues qui s'écrasaient sur les récifs, et j'ai failli ne pas voir une trace étonnante, à mes pieds. Elle était large d'un mètre, lisse, avec des rainures de chaque côté, à intervalles réguliers.

Je me suis accroupi pour la toucher, comme si elle pouvait me parler d'elle. Hormis le bruit des vagues et celui de ma propre respiration, c'était le silence. J'ai suivi la trace des yeux, elle s'éloignait en direction de l'océan. Au bout de cette bizarre piste, j'ai aperçu une créature brune, énorme et qui bougeait. J'ai regardé la femme. Elle aussi avait vu.

Je n'avais qu'un petit Rangefinder dans mon sac, je l'ai pris tout en m'avançant. Prudemment. Je n'étais pas sur mon territoire, je ne connaissais pas les animaux sauvages de la forêt et de l'océan, et la taille de celui-là était intimidante. Je marchais en crabe, j'essayais d'approcher ce qui était là, sur le sable, à trente mètres à peine de distance.

Je distinguais la tête, sur un corps qui faisait bien cinq mètres de long et devait peser près de trois tonnes. C'était une tête étrange, triste, avec des yeux marron qui ressemblaient à des galets tout lisses, et une trompe. A l'aide de ses nageoires, l'animal se traînait lourdement sur le sable. Il m'a repéré, il a levé la tête pour mieux voir, puis il a rebaissé la tête et est resté là, affalé sur le sable, comme un chien couché sur un tapis. Il m'épiait.

J'étais à six mètres de lui environ, j'avais ses yeux marron dans mon objectif. Ils étaient fixés sur moi, apeurés ou du moins méfiants, tandis que je calculais le bon angle. Je commençais à éprouver le sentiment que j'ai toujours quand je fais irruption dans l'existence de créatures vivantes, que je la dérange ; or, à l'évidence, la femme et moi avions dérangé ce qui, sans nous, aurait pu être un moment paisible.

Je cherchais à me rappeler les images qu'au fil des ans j'avais vues dans des ouvrages sur la nature. J'aurais dû reconnaître cet animal, mais non. Ce n'était pas un lion de mer. Pas avec cette trompe. Ce n'était pas non plus un morse, malgré sa taille et son allure. Je ne me suis jamais acharné à mémoriser le nom des choses — en fait, je considère que nous avons trop tendance à étiqueter le monde qui nous entoure —, pourtant j'étais frustré de ne pas me rappeler le nom de cet animal, là devant moi.

Il était mal placé pour une bonne photo. Au ras du sable, avec en arrière-plan des rochers du même brun que lui, sur lesquels il ne se découpait pas nettement. Ça n'avait pas d'importance. J'ai baissé mon appareil et, simplement, laissé faire. Alors je me suis souvenu. C'était un éléphant de mer, quasi exterminé par les chasseurs au dix-neuvième siècle, et que l'on rencontrait très rarement. Il avait passé la journée, peut-être la nuit précédente, en haut de la plage et, comme nous semblions tous le faire à un moment ou un autre, s'évertuait à regagner l'océan.

Des vagues de deux mètres se fracassaient contre les rochers, le grand phoque se jetait dans les creux du rivage et s'arrêtait un instant pour nous regarder, la femme et moi. Il était maintenant dans une eau plus profonde, sa pesanteur maladroite s'évanouissait. Sur la terre ferme, il n'était qu'une énorme masse de boue. L'océan le métamorphosait. Soudain, lisse et rapide, il plongea et disparut en une fraction de seconde dans un étroit passage entre deux récifs.

Je me suis redressé et tourné vers la femme. Elle s'est approchée de moi, a passé son bras autour de ma taille. Elle a tiré sur la manche de ma chemise.

— C'était un cadeau, Robert. On n'en voit pas souvent par ici.

Elle souriait et me dévisageait. Puis elle a dit :
— Un peu comme vous, je crois.
La large empreinte, flanquée de chaque côté par les marques des nageoires, restait gravée dans le sable, elle menait au Pacifique. J'ai rangé mon appareil dans le sac marin, en songeant aux yeux marron du Mirounga angustirostris, *tandis qu'il m'étudiait, fouillant lui aussi sa mémoire et ses connaissances, avant de me reconnaître enfin et de s'engloutir dans les vagues écumantes. Pour y disparaître.*

La femme a étendu une nappe sur le sol près d'un rocher qui avait juste la bonne taille pour former un siège. Elle a retiré le violoncelle de sa housse, s'est assise sur le rocher et s'est mise à jouer. Allongé sur le sable, je pensais aux lieux où j'avais été durant les trois dernières années, puis je m'efforçai de ne plus y penser. Le sable était chaud, je suis resté là longtemps, et je n'avais pas envie d'être ailleurs.

L'aube amena avec elle une épaisse brume. Robert Kincaid alla chercha de quoi ranimer le feu qu'il avait allumé la veille et qui avait brûlé pendant la majeure partie de la nuit. Wynn McMillan et lui se recouchèrent sur le sable, enlacés. Il se sentait redevenir jeune. Il se dépouillait de la guerre qui avait transformé des gamins en vieillards.

Elle avait froid, elle était décoiffée, de longues mèches de cheveux s'échappaient du peigne qui les maintenait en un chignon haut et bien net. Pourtant elle souriait et l'embrassait, l'embrassait encore. Etendus sur le sable, ils se caressèrent jusqu'à ce que le ciel prenne une couleur nacrée et qu'un pâle soleil perce le brouillard. C'était la troisième fois qu'ils faisaient l'amour depuis leur arrivée sur la plage.

– Est-ce que tu vas rester ? lui demanda-t-elle ensuite.

Il s'assit et ôta les grains de sable collés à ses paumes, mit ses bottes, les laça.

– Je ne peux pas. Il faut que je travaille et que j'appelle le *National Geographic*, au cas où ils auraient quelque chose pour moi. Ils m'ont commandé pas mal de reportages avant la guerre. J'envisage de m'installer dans la région de San Francisco. Ce n'est pas loin. On se verra souvent.

– Je sais. Mais quelquefois je voudrais que la vie soit toujours comme ça, comme cette nuit, comme ce matin.

Elle était blottie dans les bras de Kincaid et jouait avec le col de sa chemise humide. Elle avait la tête nichée sous son menton, il respirait l'odeur de l'océan dans ses cheveux.

Un vol de pélicans émergea de la brume, battant des ailes et rasant l'eau, ondulant vers le sud. La brume les avala, ils furent remplacés par des mouettes qui entreprirent de vaquer à leurs occupations matinales.

Aussi agréable que fût ce moment, Robert Kincaid savait qu'il ne pouvait se prolonger éternellement, demeurer tel qu'il était. Et il y avait en lui une certaine impatience. Une seconde vie l'attendait, il avait hâte de la vivre.

Wynn McMillan déboutonna le haut de sa chemise, embrassa sa poitrine, le visage tout contre sa peau. Robert Kincaid caressait ses cheveux pleins de sable. Elle montra l'océan du doigt et murmura :

– Les baleines grises viennent en mars, paraît-il.

9

Automne 1981

Trente-six ans et trois mois après l'automne sur la plage de Big Sur, novembre dans le Dakota du Sud était pénible et sans charme, annonciateur d'un hiver rigoureux. Déjà, presque tout ce qui volait ou courait avait pris la direction du sud ou s'était enfoui dans la terre.

L'attitude des gens aussi avait changé, Carlisle McMillan en était frappé : la résignation se lisait sur leur visage, ils s'apprêtaient à se claquemurer chez eux pendant des mois. Ils semblaient même faire le dos rond, comme s'ils s'étaient construit une carapace où ils rentraient la tête, retenant leur respiration jusqu'au dégel de mars et avril.

Dans la bibliothèque de Falls City, l'atmosphère était lourde, l'archaïque chauffage central au charbon qui sifflait et ferraillait ne tarderait plus à rendre l'âme. En ce milieu de matinée, le bâtiment était quasiment désert, on n'entendait que les bruits des radiateurs, le froissement des pages d'un journal que feuilletait une vieille dame, les gestes feutrés d'une employée qui rangeait des livres sur les rayonnages. Par deux fois, elle avait lancé un regard à Carlisle, elle se demandait s'il n'était pas un Indien venu de Rosebud ou de Wounded Knee.

Carlisle chercha dans le *Who's Who* un certain Robert L. Kincaid et ne trouva rien. Le bibliothécaire consulta son catalogue, l'informa qu'il existait un répertoire semblable au *Who's Who*, mais consacré aux photographes.

– Il devrait être parmi les ouvrages de référence, deuxième section.

Carlisle s'installa à une table d'assez belle facture, promena sa main sur le chêne, du bois ancien comme il l'aimait, de l'espèce *Quercus alba*. Il contemplait le livre posé devant lui. Puis il l'ouvrit à la lettre K, et parcourut attentivement les colonnes.

*Kincaid, Robert L., né le 1ᵉʳ août 1913 à Barnesville, Ohio. Fils de Thomas H. et Agnes Kincaid. Marié à Marian Waterson en 1953, divorcé en 1957. U.S. Army 1931-1935 ; U.S. Marine Corps 1942-45. Récompensé par plusieurs prix, dont le « Prix d'honneur » décerné par l'*American Society of Photographers, et celui attribué par l'*International Journal of Photography *pour l'ensemble de*

son œuvre. Free-lance, il a d'abord travaillé pour le
National Geographic, *ainsi que pour* Life, Time,
Globetrotter *et d'autres grands magazines. Spécia-
lisé dans les reportages exotiques, parfois périlleux, il
a parcouru la planète et est réputé pour le caractère
poétique de ses photographies.*
Adresse : inconnue.

Robert Kincaid avait donc soixante-huit ans,
pensa Carlisle. Il fouilla les rayonnages de la bibliothèque, trouva les volumes reliés du *National Geographic*. Il en prit plusieurs, datés d'avant 1978, et
s'assit à une autre table. Il lui fallut près d'une heure
pour les compulser, il tomba au passage sur deux
articles intéressants pour lui. Mais rien sur le
dénommé Robert Kincaid.

Il se lança donc dans une recherche plus métho-
dique, éplucha les divers numéros du magazine,
année par année. Dans celui de février 1975 figurait
un article sur les moissons dans les Grandes Plaines,
illustré par une photo de Kincaid. Il en trouva deux
autres en 1974 et 1973. Une note en bas de page,
dans un article de 1972 sur le parc national d'Acadie,
signalait que Kincaid s'était fracturé la cheville
durant la prise de vues. Il admira non seulement le
cliché, mais aussi la persévérance et la vigueur de ce

gars. A cinquante-neuf ans, Kincaid crapahutait encore dans les falaises, avec son appareil.

Après avoir déjeuné dans une brasserie sur la place, Carlisle retourna à la bibliothèque et poursuivit ses investigations. A mesure qu'il remontait le temps, les photos de Kincaid étaient de plus en plus nombreuses. Enfin, se rapportant à un article de 1967 sur la disparition progressive de la forêt en Afrique orientale, Carlisle McMillan trouva ce qu'il voulait : un portrait de l'homme, en dernière page du magazine. Robert Kincaid, accroupi sur la rive d'un fleuve africain, regardait quelque chose devant lui. Il tenait son appareil à hauteur de poitrine. Ses longs cheveux couvraient son col de chemise, il avait une chaîne d'argent au cou, avec un genre de médaillon.

Carlisle eut un frisson et s'adossa à son siège pour contempler le plafond. L'homme de la photo portait de larges bretelles orange. Les bretelles dont Wynn se souvenait.

Un groupe d'écoliers entra dans la bibliothèque, jacassant et patinant sur le plancher ciré malgré les remontrances de leur professeur. Pendant quelques minutes, Carlisle resta figé, les yeux rivés sur le portrait de l'homme accroupi au bord de l'eau, en Afrique orientale, qui avait un appareil dans les mains et des bretelles. Puis il marqua la page avec un bout de papier et se remit au travail, en remontant toujours plus loin dans le temps.

En tout, il glana vingt-huit articles, certains datant de la fin des années 30, illustrés par Robert Kincaid. Six d'entre eux étaient même écrits par lui. Il découvrit quatre autres portraits, dont l'un dans un numéro de 1948. Les longs cheveux ne grisonnaient pas encore, à l'époque, et Carlisle eut l'impression – mais peut-être se faisait-il des idées – qu'ils étaient exactement du même brun que les siens. Le nez et les pommettes ressemblaient aussi aux siens, des traits typiquement indiens. Carlisle, cependant, était plus trapu que Kincaid, héritage de la lignée de farouches guerriers écossais dont il était issu, comme sa mère se plaisait à le dire.

Il photocopia chaque article auquel Robert Kincaid avait apporté sa contribution, ainsi que les quatre portraits. Il avait l'intention d'éplucher les parutions des autres grands magazines à partir des années 30, mais la bibliothèque fermait ce jour-là plus tôt que d'ordinaire, à cause d'une réunion du personnel. Ses photocopies sous le bras, il rejoignit sa camionnette pour rentrer chez lui, au nord-ouest de Salamander. Pendant le trajet, une soixantaine de kilomètres, il prit soudain conscience qu'il s'était focalisé sur Robert Kincaid et exclusivement sur lui. Or Kincaid n'était sans doute pas le seul « Robert », mais pour une raison mystérieuse il semblait s'être ancré dans l'esprit de Carlisle, lequel avait omis de vérifier si le *National Geographic* avait publié des clichés d'autres photographes prénommés Robert.

Le regard fixé sur la lumière de ses phares qui trouait l'obscurité de novembre, il s'interrogeait sur les causes profondes qui le poussaient à se concentrer sur ce personnage insaisissable, ce Kincaid. Il se persuada qu'il agissait ainsi parce qu'il correspondait bien à ce que Wynn disait de l'homme qu'elle avait connu à Big Sur, et aux renseignements que lui avait fournis Buddy sur la moto.

Ce soir-là, Carlisle étala les photocopies par terre et tria les reportages. La plupart avaient été réalisés dans des lieux lointains – l'Inde, l'Afrique, le Guatemala, l'Espagne, l'Australie. Deux au Canada, plusieurs aux Etats-Unis : un dans l'Iowa, un autre dans les bayous de Louisiane, un dans le Maine, et deux dans les Rocheuses.

Le chat Poub sortit de son refuge sous le poêle à bois et vint se coucher sur un paquet de photocopies en ronronnant.

– Tu veux dîner, mon gros ? Excuse-moi, je te néglige.

Pendant que le matou dévorait une boîte de thon, Carlisle approcha, pour mieux l'étudier, l'un des portraits de la suspension qui éclairait la table de la cuisine.

L'homme nommé Robert Kincaid paraissait regarder Carlisle. Celui-ci reposa la photocopie, la reprit, l'examina avec plus d'attention. Seigneur, un détail lui avait échappé, mais c'était là : la gourmette au poignet droit de Kincaid. Wynn avait parlé de cette gourmette.

Les bretelles, la gourmette, le « A » sur le réservoir d'essence de la moto, et un Robert L. Kincaid qui avait fait immatriculer cette moto en 1945.

Carlisle s'assit au bureau, relut la liste d'indices qu'il avait rédigée au départ, puis fit un tableau sur une page vierge. Sa main tremblotait. Quand il eut fini, il y n'avait plus aucun blanc en face de chaque élement de la liste.

	Robert L. Kincaid
« A » = Ariel Square Four	✓
Photographe	✓
Voyageur	✓
Free-lance	✓
Magazines	✓
Guerre	✓
Marines	✓
Gourmette	✓
Bretelles	✓
32 ans en 1945	✓

– Ça devient un peu paniquant, mon gros, dit-il au chat, occupé à faire minutieusement sa toilette, et il s'accouda sur l'appui de la fenêtre pour scruter la nuit du Dakota du Sud.

Ce soir-là, il resta éveillé longtemps. Bercé par les craquements des bûches dans le poêle du salon, il songeait à Robert Kincaid, à ses articles. L'homme en jean, chemise kaki et bretelles avait effectivement mené une vie de vagabond, de nomade qui sillonnait le globe terrestre. S'il était bien celui dont se souvenait Wynn, pas étonnant qu'ils se fussent perdus de vue. La mère de Carlisle avait pas mal bougé au temps de sa jeunesse, et lui, apparemment, ne restait jamais longtemps au même endroit. Il revit en pensée les yeux de Robert Kincaid, et celui-ci, quelque part en Afrique orientale, lui rendit son regard.

Deux jours après ses recherches à la bibliothèque de Falls City, Carlisle McMillan contacta le siège du *National Geographic* à Washington D.C. Il avait oublié le décalage horaire – environ une heure –, et une secrétaire lui répondit que tout le monde était parti déjeuner. Mais peut-être pouvait-elle l'aider ?

– Quel est le nom que vous m'avez dit ?

– Robert Kincaid. Je crois qu'il a beaucoup tra-

vaillé pour votre magazine, des années 30 à 1975.
J'essaie de le localiser. Il est possible que nous soyons
parents.

– La généalogie est très à la mode de nos jours.
Mon mari a lui aussi décidé de reconstituer l'histoire
de sa famille. Attendez, j'en ai pour une minute.
Vous ne quittez pas ?

– Je ne quitte pas.

Carlisle patienta, tambourinant sur son bloc avec
un crayon. Poub sauta sur ses genoux, donna des
petits coups de patte au crayon que Carlisle fit glisser, très vite, d'un bout à l'autre de la table. Le chat,
les yeux exorbités, suivait le mouvement. Dehors, le
ciel était bas et plombé, une pluie froide cinglait les
carreaux.

La secrétaire le reprit en ligne.

– Désolée d'avoir été si longue. J'ai dû fouiller
dans les archives. Si nous parlons bien du même
Robert Kincaid, vous avez raison. Il a beaucoup travaillé pour notre magazine, et ce pendant des années.
Son dernier contrat date de 1975. Apparemment,
c'était un vrai vagabond. Quelqu'un a écrit dans son
dossier : « Ira n'importe où et y restera le temps
nécessaire pour faire le boulot et rapporter du
solide. »

– Est-ce que vos dossiers mentionnent qu'il était

155

dans l'armée pendant la Deuxième Guerre mondiale ?

Il entendit son interlocutrice compulser des feuillets.

– Oui, dans les Marines. Je n'ai là qu'une brève note biographique : il a été libéré en septembre 1945, à l'âge de trente-deux ans. C'était sa seconde incorporation. Son premier engagement s'est terminé en 35. Il a commencé à collaborer avec nous, puis au début de la guerre, l'armée l'a rappelé. Mais cette fois, il s'est enrôlé dans les Marines. Il est né à Barnesville, dans l'Ohio, où il a passé son bac. C'est à peu près tout ce que j'ai sur lui, outre la longue liste des articles que nous avons publiés, et que vous connaissez déjà, si je ne m'abuse.

Elle s'interrompit.

– Un instant... il me semble avoir consulté le dossier de ce Kincaid il y a environ un an. Quelqu'un voulait des renseignement sur lui.

– Vous vous rappelez qui c'était ? Un homme, une femme ?

– Laissez-moi réfléchir. Je crois que c'était une femme, mais je n'en suis pas sûre. Je venais juste d'être embauchée, et j'ai passé la communication à l'un des rédacteurs en chef. Il m'a demandé de lui apporter le dossier. C'est tout ce dont je me souviens.

Malheureusement pour vous, ce rédacteur a quitté le magazine depuis, et j'ignore où il est.

– Vous n'auriez pas l'adresse et le numéro de téléphone de M. Kincaid ?

– J'ai une adresse à Bellingham, dans l'Etat de Washington, et un numéro de téléphone.

Carlisle nota les coordonnées et remercia la secrétaire. Après réflexion, il composa le numéro à Bellingham, sans trop savoir ce qu'il dirait si Robert Kincaid répondait. Son anxiété fut vite dissipée. Ce fut un agent d'une compagnie d'assurances qui décrocha et lui expliqua que ce numéro avait été attribué à sa société deux ans auparavant, lors de l'ouverture de leur nouvelle filiale. Navré. Mais Carlisle serait peut-être intéressé par les contrats très avantageux qu'ils proposaient ? Non, Carlisle n'était pas intéressé.

Il s'adressa ensuite à la Chambre de Commerce de Bellingham. D'après l'annuaire de la ville, aucun Robert Kincaid ne vivait à Bellingham. L'adresse qu'on lui avait donnée était maintenant celle d'un centre commercial, construit en 1979. Carlisle se sentit frustré, presque déprimé, il avait l'impression de regarder par le mauvais bout de la lorgnette. Il avait cru se rapprocher de cet homme, mais il se trompait. Ce Robert Kincaid pouvait être n'importe où, voire au fond d'une tombe, quelque part.

Il était à la limite de tout abandonner. Trop d'années à traquer une ombre insaisissable, sans la moindre preuve, trop d'impasses. De plus, en admettant qu'il retrouve ce Kincaid, quelle certitude en retirerait-il ? Il ne pourrait que lui demander s'il avait fait l'amour à une femme, sur une plage de Big Sur, à l'automne 1945. Et même si la réponse était positive, cela ne prouverait toujours rien, pas de manière indiscutable. Si les gens de Big Sur étaient aussi libres et insouciants que Wynn le disait, c'était peut-être un autre homme qu'elle avait connu à l'époque. Il n'avait pas envisagé une telle éventualité et hésitait à interroger sa mère sur ce sujet.

En fin d'après-midi, après avoir coupé du bois pendant deux heures et s'être douché, Carlisle passa un moment sur sa véranda. Il observait la campagne, en direction de Wolf Butte noyé dans la brume. Puis il rentra dans la maison et s'installa près du poêle pour relire les articles photocopiés à la bibliothèque de Falls City. Il cherchait un indice, une piste, un détail qu'il aurait négligé.

A treize kilomètres de la maison de Carlisle McMillan, un pick-up vert qui n'était plus de la première jeunesse descendait la rue principale de Salamander, Dakota du Sud. Sur les deux portières, on ne distinguait presque plus, tant elle était fanée, l'inscription : PHOTO KINCAID, BELLINGHAM, ÉTAT DE WASHINGTON.

Robert Kincaid se gara et entra à la taverne Leroy's. Trois types coiffés de Stetson et chaussés de bottes de cow-boy étaient au bar. Ils riaient, mais se turent pour dévisager le nouveau venu d'un air peu amène.

Le patron, Leroy, s'approcha et demanda à l'étranger ce qu'il voulait boire.

Robert Kincaid répondit qu'il ne voulait rien pour l'instant, merci. Il cherchait des renseignements sur l'homme qui lui avait servi de guide quelques années plus tôt, quand il faisait un reportage sur un chantier de fouilles à l'ouest de la ville.

– Ouais, il habite de l'autre côté de la rue, au-dessus de l'ancien magasin de télé de Lester. Il a pas perdu son sale caractère.

Kincaid se ravisa et acheta un pack de bière à Leroy. Puis il traversa la rue. Une fenêtre, au-dessus du magasin de Lester, était éclairée. Kincaid monta l'escalier et frappa à la porte. Il se pencha pour masser sa mauvaise cheville.

– Qu'est-ce que c'est ? cria une voix éraillée de vieillard.

Kincaid dit qui il était, la porte s'ouvrit en grand.

159

— Bon Dieu, le photographe hippie qui venait de l'Ouest !

Il asséna une tape sur l'épaule de Kincaid.

— Je sais que vous êtes pas hippie, mais vos cheveux longs me rappellent toujours ces petits cons qui foutaient rien, à part baiser dans tous les coins. Entrez et, surtout, laissez pas ces canettes de bière sur le palier. Y a... combien de temps que vous étiez par ici avec votre matériel photo ?

Kincaid répondit que ça remontait à huit ans, puis demanda s'il pouvait aller chercher Highway dans le pick-up.

— Ben oui. Je le connais pas encore mais, en général, j'aime bien les chiens. J'ai jamais rencontré un chien qui ait pas tout ce qui fait une bonne nature — la confiance, la loyauté, le sens de l'honneur et tout ça. Je peux pas en dire autant de la plupart des gens que j'ai croisés.

S'il avait cette vision de ses semblables, le vieux bonhomme était taillé pour diriger le motel d'Astoria, dans l'Oregon, pensa Kincaid, tandis qu'il gravissait avec Highway les marches grinçantes de l'escalier, éclairé par une unique ampoule.

La soirée s'écoula. Ils parlèrent de la vie et du voyage, des années de guerre, quand la question du bien et du mal était limpide pour chacun d'eux, des libertés pareilles à du cristal fragile qu'on avait mises entre les mains d'êtres beaucoup trop jeunes – eux-mêmes y compris – pour les manier. Ils parlèrent du grand amour du vieux bonhomme – une Française qu'il avait connue lors de la libération de Paris.

Kincaid évoqua l'accordéoniste qui jouait parfois au Leroy's.

– Ouais, Gabe y joue toujours. Mais seulement le samedi soir, vous êtes en avance. Si vous pouvez rester jusqu'à samedi, on ira se soûler et clouer le bec aux autres, qui se plaignent parce que Gabe joue trop de tangos. Ils préfèrent ces conneries de chansons de cow-boys. Heureusement, Gabe était en France en même temps que moi et il a appris le tango avec des musiciens dans les bistrots parisiens. Il s'est pris de passion pour cette musique. Ça me rend toujours un peu mélancolique quand j'entends ces airs-là le samedi soir, de l'autre côté de la rue. Ça me rappelle Paris... et mon Amélie.

Kincaid dit qu'il aimerait bien rester, mais qu'il devait partir le lendemain matin.

– Ben dans ce cas, si vous voulez, vous avez qu'à dormir sur mon canapé. Filez-moi une cigarette, je vois que vous en avez un paquet dans votre poche. Moi, j'en ai plus depuis deux jours. Cette fichue guibole qu'une benne m'a écrabouillée quelque temps après votre passage par ici fait des siennes, alors j'ai pas mis le nez dehors depuis quarante-huit heures.

Kincaid emmena Highway faire sa promenade nocturne. Une pluie mêlée de grésil commençait à tomber, et la rue principale de Salamander était déserte, hormis quelques véhicules garés devant la taverne. Kincaid prit son sac de couchage dans son pick-up et regagna l'appartement du vieux bonhomme.

Il montait l'escalier quand une douleur violente lui transperça la poitrine. Il s'adossa au mur, essoufflé et légèrement nauséeux, comme si tout son organisme allait cesser de fonctionner. Au bout de quelques minutes, le malaise passa. Il gravit les dernières marches. Il se posait des questions sur son état.

Avant de se coucher, le vieux bonhomme lui dit :

– Vous avez eu vent de ces histoires bizarres, sur le chantier de fouilles ?

Kincaid secoua la tête.

– Ça a démarré un mois ou deux après votre départ, pas plus. Pendant un certain temps, des rumeurs ont circulé à propos de phénomènes étranges. Des lumières qui jaillissaient de Wolf Butte. Y avait des gens qui affirmaient qu'une espèce d'oiseau géant planait au-dessus du chantier, la nuit. Des trucs dingues. Là-dessus, le responsable du site est tombé dans le trou du haut de la butte et il en est mort. Les autres ont tout remballé et se sont dépêchés de décamper.

Kincaid réfléchit un instant avant de répondre :

– Oui, c'est étrange. Je me souviens que les archéologues mentionnaient souvent un culte très ancien voué à une prêtresse quelconque, qui avait un rapport avec les vestiges d'une civilisation originaire d'Asie.

– Bah, ça n'a plus d'importance. C'est bien fini, tout ça. Un jeune gars s'est installé dans la maison de Williston, pas loin de Wolf Butte, et ça paraît pas l'inquiéter. Bon, je crois qu'on tombe de sommeil, tous les deux. Si j'éteignais la lumière, hein ?

– D'accord, dit Kincaid. Je suis crevé.

Dehors, il neigeait. Au matin, Robert Kincaid passa un moment à nettoyer Harry. Le vieux bonhomme se pencha à sa fenêtre pour lui crier :

– Attendez pas trop longtemps pour vous arrêter dans le coin ! Vous êtes toujours le bienvenu chez moi.

Kincaid le salua d'un geste de la main, fit démarrer Harry et prit la direction de l'est, de l'Iowa.

10

Autres hypothèses

Carlisle McMillan appela sa mère à la galerie d'art de Mendocino.

– Carlisle ! s'exclama-t-elle d'un ton guilleret. Depuis quelques semaines, j'ai eu plus de nouvelles de toi que pendant ces dernières années.

– Wynn, ce que j'ai à te demander est très indiscret. Je ne l'aurais pas fait, jamais, si ce n'était pas capital pour la recherche que je mène.

– Eh bien, dit Wynn d'une voix assourdie, teintée d'une pointe de méfiance, pose-moi ta question.

– A Big Sur, y avait-il... enfin... oh, bon sang, c'est difficile de demander ça à une mère... y a-t-il eu un autre homme avec qui tu as eu une relation ?

Il reprit sa respiration.

– Je veux dire... est-il possible que je cherche la mauvaise personne ?

A Mendocino, le silence se prolongea.

— Carlisle, je ne t'ai jamais caché grand-chose, mais là, tu frises l'insolence.

— Je sais. Seulement... il se pourrait que je me trompe complètement de piste.

— Je vois, murmura-t-elle, pensive.

Carlisle attendit ; le silence de sa mère était révélateur, il confirmait ses craintes.

Enfin, Wynn parla, à sa manière directe :

— La réponse est oui. Il y a eu deux autres hommes et, crois-moi, quand j'ai appris que j'étais enceinte, j'y ai beaucoup réfléchi. Pour M. X., les dates ne collaient pas. Sinon, il aurait fallu que ma grossesse dure onze mois. J'ai connu M. Y. alors que j'étais déjà enceinte, sans en avoir encore la certitude absolue. C'est... vraiment... pénible d'aborder ce sujet avec son fils... avec toi.

— Wynn, écoute... Je ne me permettrais pas de porter un jugement sur ces histoires-là, même si elles concernent ma mère. J'avais simplement besoin de cette information et je suis désolé d'avoir dû t'interroger. Mais je n'avais pas d'autre moyen de savoir.

— Je comprends. Ah, voilà un client. Il faut que je te laisse. Quand on se rappellera, je te raconterai une chose étrange qui s'est passée l'autre jour.

— Raconte maintenant, si c'est important.

— Non, sans doute mon esprit créatif qui s'est emballé.

– Bon... Merci, Wynn.

– Oh, de rien. La prochaine fois, parle-moi de la pluie et du beau temps.

– D'accord. Au revoir.

– Au revoir, Carlisle.

Il resta longtemps assis près du téléphone, à contempler les photocopies posées sur son bureau, le visage de Robert Kincaid.

11

Le pont Roseman

Francesca Johnson, dans son salon, contemplait la pluie. Depuis l'aube, les averses se succédaient, les champs étaient boueux, gorgés d'eau. Dans le lointain, le brouillard s'élevait de la vallée de la Middle River et semblait s'avancer inexorablement vers la maison à mesure que la journée s'écoulait. La température avoisinait zéro degré, on aurait sans doute de la neige en début de soirée, d'après les bulletins météo de la radio de Des Moines.

Le téléphone mural de la cuisine sonna – une sonnerie distante et solitaire dans la maison silencieuse. Francesca alla répondre.

– Bonjour, maman. Je passe juste aux nouvelles, dit Carolyn qui appelait de Burlington, dans le Vermont.

Francesca sourit. Les enfants, qui étaient encore si jeunes pour elle, lui semblaient toujours, à distance, s'exprimer comme des adultes. Carolyn avait trente-deux ans, Michael un an de plus, ils avaient leur vie, leurs soucis conjugaux. Carolyn attendait son deuxième bébé, elle était enceinte de huit mois ; quand elles se téléphonaient, les cinq premières minutes de leur conversation étaient consacrées aux enfants.

— Tu pourras venir pour la naissance ? demanda Carolyn. Ça devrait tomber pile au bon moment. Mes cours se terminent dix jours avant la date prévue pour l'accouchement. Ensuite je prendrai un congé pour m'occuper de Melinda et du bébé avant de m'attaquer à ma thèse.

— J'essaierai de venir. Non... je veux dire que, bien sûr, je serai là.

— Tant mieux. Il faut que tu quittes la ferme de temps en temps, maman. Depuis la mort de papa, je n'arrête pas de t'imaginer là-bas, solitaire, jour après jour.

— Mais je vais très bien, Carolyn. Ne t'inquiète pas pour moi. Je ne manque pas de distractions.

Ce n'était pas tout à fait vrai, mais presque.

— Je lis énormément et, une ou deux fois par mois, j'enseigne comme assistante à Winterset.

— Tu t'acharnes toujours à leur faire ingurgiter de la poésie ?

— Oui, et je me heurte toujours à un mur.

Elle ne mentionna pas que, quand elle présentait

W. B. Yeats aux élèves, elle pensait à Robert Kincaid lorsqu'il lui récitait *Le Chant d'Aengus l'Errant*.

— Est-ce que Floyd Clark cherche encore à te persuader de sortir avec lui ?

— Oui, répondit Francesca en riant. Mais je crois l'avoir découragé suffisamment de fois pour qu'il commence à comprendre le message.

— Floyd Clark, berk... Tu peux trouver mieux que lui, décréta Carolyn sur ce ton protecteur qu'ont les enfants devenus adultes, et avec cette pointe de cruauté propre aux femmes jeunes et plutôt séduisantes.

— Oui, peut-être. Malgré tout, il est bien aimable de m'inviter. Maintenant que Marge n'est plus là, je plains un peu ce pauvre Floyd. Pas assez cependant, je suppose, pour accepter ses invitations.

Francesca regarda par la fenêtre les champs déchaumés, l'automne pluvieux reculant devant un hiver qui commencerait sans doute avant la fin du jour.

Elles continuèrent à bavarder, de menus propos concernant la famille, puis Carolyn dit :

— Il faut que je te laisse, maman. David rentre de bonne heure aujourd'hui, nous allons ensemble à un cours de préparation à l'accouchement. J'ai eu Michael, hier, il m'a chargée de te dire qu'il te téléphonerait pour ton anniversaire.

– C'est gentil. Ça me fait toujours plaisir de vous entendre, tous les deux, me raconter toutes vos activités.

– Au revoir, maman, prends soin de toi. Je t'aime. Je te rappelle pour ton anniversaire.

– Je t'aime aussi, Carolyn.

Vers quinze heures trente, Francesca chaussa ses bottes en caoutchouc, enfila un ciré jaune sur un pull et une veste en lainage léger, rabattit le capuchon sur sa tête. Elle sortit de la maison et partit en promenade. Au bout du chemin, elle tourna à droite. Une fois de plus, elle se dirigeait vers le pont Roseman.

Robert Kincaid évita de traverser Winterset pour rejoindre le pont Roseman. Francesca Johnson risquait d'être en ville et, en outre, la route principale reliant Winterset au pont passait par sa ferme. Il ne tenait pas à ce que cette dernière visite sentimentale manque d'élégance, de tact, ce qui serait embarrassant pour lui et pour elle. En admettant d'ailleurs qu'elle habite toujours le comté de Madison. Il n'en savait rien, peut-être son mari et elle s'étaient-ils installés dans un village de retraités en Arizona. Il avait entendu dire que beaucoup de gens du Middle West le faisaient.

Le pont se trouvait à quinze kilomètres environ

au sud-ouest de la ville. Il quitta la 92 à Greenfield, puis emprunta une série de routes secondaires en direction de l'est, puis du nord à nouveau. Il roula un moment sur du bitume qui, à l'approche du pont, céda la place à du gravillon. A mesure que les kilomètres défilaient, le souffle lui manquait, et cela n'avait aucun rapport avec l'angine de poitrine ou ce que le diable trafiquait dans son organisme.

Il monta une côte près d'une petite église, vit la Middle River en contrebas, et enfin le vieux pont, là où il était depuis une centaine d'années. Il gara Harry dans un bouquet d'arbres, à cent mètres, descendit, fourra un appareil sous son parka et enfonça une casquette de base-ball sur sa tête.

– Je crois que je vais te laisser là, dit-il au chien. J'ai besoin d'être seul.

Le retriever en fut dépité. Il regarda Kincaid s'éloigner sur la route gravillonnée, aboya deux fois. Kincaid se retourna, sourit et revint sur ses pas.

– D'accord, d'accord, tu peux m'accompagner.

La truffe au sol, le chien s'élança, précédant Kincaid jusqu'au virage d'où une colline en pente douce menait au pont.

Nourrir de la rancœur contre le destin est vain ; les choses adviennent sans rime ni raison, voilà tout ce qu'on peut en dire. Se révolter contre le sort, c'est condamner la fumée ou le vent, et s'affliger chaque jour de notre existence. Au bout du compte, il ne reste qu'à endosser ce qui nous échoit et à continuer.

Francesca Johnson écoutait la pluie crépiter sur le capuchon de son ciré. Elle se rappelait avoir lu ces phrases quelque part, peut-être dans l'un des bouquins que lui expédiait son club de lecture par correspondance.

Au fond, elle n'avait pas de rancœur, elle était relativement satisfaite. Quand elle éprouvait de la tristesse, ce n'était pas parce qu'elle avait pris la décision, seize ans auparavant, de rester auprès de sa famille au lieu de partir avec Robert Kincaid. Elle s'attristait d'avoir dû faire le choix que le destin et ses propres actes lui imposaient.

Depuis la mort de Richard, elle ne cherchait plus à refouler ses souvenirs de Robert Kincaid, des moments qu'ils avaient partagés. Elle le laissait simplement s'insinuer dans son esprit quand il le voulait. A l'époque, il lui semblait incarner la vie même, débordant d'énergie et de force physique, parlant de voyage, de rêves et de solitude. Et durant les nuits passées ensemble, les journées aussi, elle l'avait accueilli en elle et aimé avec une intensité nourrie par toutes ces années d'une attente étouffée, désespérée, une attente qu'elle n'aurait su exprimer, jusqu'à ce que Robert Kincaid surgisse dans son existence.

Parfois, dans son lit vide, tandis que le vieux tourne-disque de Carolyn jouait *Autumn Leaves*, elle l'imaginait là à nouveau, pesant sur elle, la prenant comme le léopard qu'il était – dans son journal intime, elle le comparait à un léopard. Tout cela ne remontait donc qu'à seize ans ? Il lui semblait que c'était plus loin dans le temps. Une autre vie. Une autre façon d'être. Et pourtant, certaines nuits, quand leurs âmes s'étreignaient, elle avait l'impression qu'il venait juste de la quitter.

Robert Kincaid était à ses yeux, entre autres, un homme doué de compassion, d'une sorte de courtoisie qu'elle voyait tomber en désuétude, partout où elle posait son regard. Il aurait pu recourir à diverses stratégies pour reprendre contact avec elle, pendant ces seize ans. Mais, quand elle avait parlé de sa famille, des raisons pour lesquelles jamais elle ne pourrait partir, il l'avait écoutée. Et, elle n'en doutait pas, s'il avait gardé le silence, c'était uniquement pour ne pas lui faire du mal en révélant ce qui s'était passé entre eux.

Elle songeait à ce qui se produirait si jamais ils se revoyaient. A son âge, se conduirait-elle comme une collégienne à son premier rendez-vous ? Serait-il toujours un peu gauche et timide, comme lors de leur rencontre ? Auraient-ils encore le désir de faire l'amour, ou s'installeraient-ils simplement à la table de la cuisine pour évoquer leurs souvenirs ? Elle espérait qu'ils feraient l'amour.

Elle avait beau s'efforcer d'être lucide, de ne pas superposer l'image de ce qu'il avait été à celle de ce qu'il pouvait être à présent, elle voyait encore Robert Kincaid descendre de son pick-up, par un après-midi d'été. Et elle le verrait toujours ainsi, probablement. En cela, elle ressemblait à tous ceux qui ont longtemps aimé un autre être. Avoir éternellement de cette personne une vision aux contours adoucis, estompés, était une forme de protection, de tendresse, et non d'aveuglement.

Il y avait aussi une part d'elle qui croyait qu'il n'était plus de ce monde. Les mois, les années s'écoulant, cette idée semblait se développer dans son esprit, bien qu'elle ne pût se résigner à l'accepter.

Elle entendit, derrière elle, un véhicule approcher. Harmon, l'ouvrier agricole de Floyd Clark, ralentit pour la dépasser, afin de ne pas l'éclabousser. Puis il accéléra, il regagnait la ferme des Clark, à cinq kilomètres de là, à l'est. Francesca continua à marcher, ses bottes s'enfonçaient dans la boue avec un bruit de succion. Elle n'était plus qu'à un kilomètre et demi du pont Roseman.

Robert Kincaid observa le pont de loin, pour s'assurer qu'il n'y avait personne dans les parages, puis commença à descendre lentement la pente menant à la rivière. Par moments, le brouillard enveloppait presque le pont, se déchirait un instant, puis se refermait comme un cocon.

Le pont couvert, à l'intérieur, sentait le moisi, le vieux bois humide, le pigeon, les feuilles mortes. Il y avait des graffitis sur les parois, certains récents, d'autres qui étaient là depuis longtemps, gravés par ceux qui, apparemment, n'avaient que ce moyen-là de clamer au monde qu'eux aussi existaient et qu'ils n'étaient pas insignifiants.

La température chutait, et sa mauvaise cheville était tout ankylosée. Il se pencha pour la masser, jusqu'à ce que la douleur soit tolérable. Il prit un petit flacon d'aspirine dans son parka, avala deux cachets, sans eau.

Robert Kincaid entendait gargouiller la Middle River, sous ses pieds. Par une brèche de la paroi – une planche qui était tombée – il vit le rocher sur lequel il s'était juché, autrefois, pour regarder d'en bas Francesca Johnson. Cet été-là, en août, des mar-

177

guerites poussaient sur les berges de la rivière, et il avait cueilli un bouquet pour elle.

Il était content d'être venu. Il avait eu raison de venir. Ici, entre les parois du vieux pont, il éprouvait une sorte de sérénité. Il la savoura et se sentit en paix avec lui-même. En cet instant, il sut que cet endroit serait sa dernière demeure, le lieu où, un jour, ses cendres seraient dispersées dans la Middle River. Il espérait qu'une partie de lui s'unirait au pont et à la terre, et que le reste serait emporté par le courant vers des fleuves, puis des océans qu'il avait traversés à bord des navires de transport de troupes ou d'avions qui l'emmenaient ici et là.

La pluie s'écoulait des gouttières du pont et s'infiltrait par la toiture qui fuyait de partout. Il s'accota à un pilier et, simplement, se laissa submerger par l'émotion, celle d'autrefois et celle d'aujourd'hui. C'était, il le savait, un adieu, un renoncement, sa façon de dire au revoir à Francesca Johnson.

– Bon Dieu, c'est comme ça, murmura-t-il.

Il le répéta, le redit encore, « ... c'est comme ça ». Sa voix était l'écho lointain et monotone du ronflement d'un bateau au nord du Caire, de la stridulation des cigales dans les forêts de Nouvelle-Guinée. Il se remémora les lignes qu'il avait écrites un an plus tôt pour un chapitre de l'ouvrage de Michael Tillman, *Réflexions sur le voyage*.

Je n'ai longtemps pensé qu'à cela, partir, et peu importait où. Dès le début, je le vois clairement à présent, la photographie fut pour moi à la fois une passion et un prétexte au voyage. Pourtant j'ai visité des centaines d'endroits – et même sans doute davantage – où j'aurais souhaité m'installer et vivre, si j'avais eu plusieurs vies, afin de pouvoir connaître vraiment certaines personnes. D'autres que moi l'ont fait, la plupart l'ont fait. J'aurais pu avoir un bazar dans ce village du Nouveau-Mexique, aux ruelles poussiéreuses et escarpées ; entrer dans cet ashram de Pondichéry, en Inde ; ou bien ouvrir un garage dans les montagnes du sud-ouest du Texas, ou élever des moutons dans les Pyrénées ou encore être pêcheur dans un petit port mexicain.

Une lame a deux faces, toutes les deux tranchantes, il faut choisir. L'errance ou une vie rangée. Je n'y avais jamais beaucoup réfléchi avant d'atteindre la cinquantaine. A cette époque-là, j'ai rencontré une femme et j'aurais renoncé à tout pour elle, y compris au voyage. Mais il y avait des obstacles entre nous, ce fut mon unique chance, et ensuite j'ai repris la route avec mes appareils photo. Maintenant que j'ai vieilli, j'ai cessé de voyager, pourtant je suis toujours seul. Toutes ces années de bivouac et de départs (ajoutées, je présume, à ma nature solitaire et, d'une certaine manière, asociale) ne m'ont pas

armé pour nouer des relations intimes avec mes sem-
blables.

Ainsi, pendant que vous lisiez le soir à la lumière
feutrée de votre lampadaire, que vous imaginiez des
lieux lointains et souhaitiez peut-être les découvrir,
ces lieux que j'ai visités des dizaines de fois, moi je
passais sous vos fenêtres et je souhaitais exactement
le contraire. Je vous enviais votre fauteuil et votre
lampadaire, votre famille et vos amis. Au moment
où je passais devant chez vous, il pleuvait sans doute,
j'avais mon matériel sur le siège de mon pick-up, à
côté de moi, je cherchais un endroit où dormir qui
n'écornerait pas trop mon budget. Je finissais par le
trouver, je dormais et le lendemain matin, je m'en
allais en pensant à la lumière feutrée de votre lam-
padaire.

Mais, le choix, je l'ai fait. Je me suis accommodé
de mon défaut majeur : aller toujours plus loin et
ne jamais regarder en arrière, ne jamais regretter ce
que je laissais derrière moi, hormis cette femme que
j'ai connue. J'ai renoncé à la chaleur d'un foyer et
j'ai choisi l'errance. J'en assume les conséquences, et
je n'ai aucun droit de me lamenter sur le sort que
je me suis moi-même forgé.

Kincaid secoua la tête avec un petit sourire. Il n'y
a rien de plus ridicule que la sensiblerie d'un vieil

homme, se dit-il. Mais, d'un autre côté, ça prouve peut-être simplement que je suis encore un peu humain.

Au bout de quelques minutes, il sortit du pont. Ça suffisait. Il avait fait ce qu'il était venu faire, chercher la confirmation de ce que ses souvenirs lui soufflaient. Se retrouver dans l'espace de Francesca, vérifier si ses sentiments étaient toujours aussi profonds qu'ils l'avaient été. Et ils l'étaient. Un grand amour dans une vie, on pouvait s'en satisfaire. Francesca avait été son grand amour, elle l'était encore, et il était venu lui dire adieu. Du plat de la main, il frappa la paroi du pont puis se remit en marche d'un pas plus léger que ces derniers temps.

Highway avait disparu, sans doute chassait-il un quelconque gibier. Kincaid émergea du pont, siffla à deux reprises, sûr que le chien le rejoindrait en chemin. Le retriever était confiné dans le pick-up depuis des jours, il avait besoin d'exercice. En haut de la colline, Highway le rattrapa, effectivement, haletant et réjoui.

— Mais oui, je connais Robert Kincaid ! claironna la voix assurée du rédacteur responsable de la documentation photographique au *Seattle Times*. Il habite dans les environs de Seattle.

– Vous le connaissez bien ? demanda Carlisle McMillan en coinçant le téléphone sur son épaule pour pouvoir prendre des notes.

Une vague de soulagement l'envahit. Enfin, il tombait sur quelqu'un capable de combler ce gouffre de trente-six années et de lui dire si Robert Kincaid était toujours vivant.

– Personnellement, pas vraiment, même si je l'ai croisé quelques fois. C'est une sacrée légende dans le milieu de la photo, tout le monde par ici a entendu parler de lui, sauf les jeunes morveux sortis de ces écoles qui coûtent une fortune. En fait, aucun de nous ne connaît vraiment Kincaid. C'est un type particulier, poli et assez aimable, mais secret. Son travail est trop original, par les temps qui courent, ça ne se vend pas très bien. On a publié quelques-uns de ses clichés, dans notre rubrique « grands reportages », au cours des années, surtout des photos de voyage. Son travail est tellement raffiné et subtil qu'il supporte mal la reproduction sur papier journal. En plus, c'est trop abstrait pour le grand public.

– J'ai vu certaines de ses photos, surtout dans des anciens numéros du *National Geographic*, hasarda Carlisle, dans l'espoir que le rédacteur lui en apprendrait davantage.

Il ne fut pas déçu.

– Ouais, et laissez-moi vous dire une chose. Kin-

182

caid était sur le terrain, vous comprenez, sur le terrain, dans les coins les plus sauvages du monde, vingt-cinq ans avant que nous, on ait notre premier Brownie. Je crois que ce qui m'a donné l'envie d'entrer dans le monde de la photo, c'est son portrait d'un trimardeur sur un train de marchandises, quelque part dans l'ouest du Texas – un vieux vagabond en guenilles, avec des yeux exorbités, des mains couvertes de cicatrices cramponnées aux plaques de tôle, sur le toit de ce train. Le paysage était flou, donc Kincaid lui aussi était sur le toit de ce train qui roulait, quand il a appuyé sur le déclencheur. Quelle photo, quelle putain de photo ! Il a fixé sur le papier chaque ride du visage de ce vagabond, et chaque cicatrice sur les doigts de ce pauvre bougre vous sautait aux yeux. Ça a été publié dans un obscur magazine intitulé « Voies ferrées des hauts plateaux désertiques », il y a une trentaine d'années. J'ai encore l'article dans mes dossiers, quelque part.

Carlisle nota sur son bloc : « Voies ferrées des hauts plateaux désertiques. »

– Serait-il possible d'avoir une copie de l'article ?

– Bien sûr, à condition que je remette la main dessus. Vous me donnez votre adresse ?

Carlisle la lui donna et reprit son interrogatoire.

– Vous ne sauriez pas comment je pourrais le retrouver ? Je fais un travail de recherche sur lui.

– Ne quittez pas, je pose la question à Goat Phillips. Il sort du labo. Je crois l'avoir entendu dire que, de temps en temps, il voit Kincaid dans un bar.

Il posa bruyamment le téléphone sur une surface dure.

– Hé, Goat... Goat ! Viens par ici, j'ai une question pour toi.

La voix du rédacteur se fit plus sourde, il s'était éloigné du combiné. Carlisle se demanda comment le fameux Goat avait hérité de ce nom[1]. Peu importait.

Il percevait des marmonnements, captait quelques mots : « En ville ? Où ? Quoi ? Highway 99 et quoi ? »

Puis la voix du rédacteur résonna à nouveau à l'oreille de Carlisle, forte et claire.

– Bon, voilà. D'après Goat, Kincaid fréquente le Shorty's, un club de jazz en ville. A droite du croisement de la 99 et de Spring Street. Le mardi soir, il y a un saxophoniste, Nighthawk Cummings, qui joue dans cette boîte et Goat, qui a de la classe, va quelquefois écouter Cummings et son trio. C'est là qu'il voit Kincaid, mais il ne lui a jamais parlé. Il

---

1. Goat : chèvre. (*N.d.T.*)

dit qu'il est un peu intimidé. Il dit aussi que Kincaid est toujours seul, devant une bière, et qu'apparemment il connaît Nighthawk Cummings.

Carlisle nota : le nom du saxophoniste, du bar, son emplacement.

— Vous êtes de la région de Seattle ? demanda le rédacteur. Pourquoi vous vous intéressez à Kincaid ? Vous avez mentionné un travail de recherche. Vous êtes photographe ou quoi ?

— Non, j'habite dans le Dakota du Sud. Je travaille sur mon arbre généalogique et je pense que Robert Kincaid pourrait représenter une branche de la famille avec laquelle on a perdu le contact depuis longtemps. Franchement, je vous suis reconnaissant de m'avoir donné tous ces renseignements.

— Pas de problème, monsieur McMillan. J'espère que ça vous sera utile.

— Enormément. Merci encore. Je peux avoir votre nom ?

— Oui... Ed Mullins. Je suis coincé dans ce bureau à longueur d'année, je n'ai même plus le temps d'aller sur le terrain pour bosser sérieusement. Enfin bref, je vous souhaite bonne chance.

Carlisle raccrocha et, aussitôt, chercha dans l'annuaire de Falls City les coordonnées d'une agence de voyage. Il composa le numéro et demanda combien il lui en coûterait pour se rendre de Falls City à Seattle, et quel était le meilleur itinéraire.

Il faisait presque zéro degré, une épaisse buée s'échappait des lèvres de Francesca Johnson. Lorsqu'elle atteignit le pont, une sorte de malaise la prit, et elle se figea, tendant l'oreille. Elle n'entendait que les pigeons et le gargouillis de l'eau sous le tablier du pont. Elle baissa les yeux, vit des empreintes boueuses sur le plancher, encore humides et donc toutes fraîches.

Francesca resserra les pans de son ciré, frissonna, comme on frissonne quand on devine dans l'obscurité une présence.

— Il y a quelqu'un ? dit-elle d'une voix hésitante.

Les mots ricochèrent contre les parois du pont Roseman.

— Il y a quelqu'un ? répéta-t-elle, de plus en plus troublée.

A l'autre bout du pont, la pluie se muait en neige, de gros flocons qui recouvraient peu à peu le sol. Elle s'avança et s'immobilisa, scrutant la colline. Le bosquet, en haut de la butte, disparaissait déjà derrière le voile blanc et tourbillonnant de la neige. Elle eut la sensation aiguë que quelqu'un, quelque chose était-là bas, dissimulé par les arbres. Une tache couleur d'amande bondissait sur la route et s'enfonça dans le bosquet, peut-être le chien d'un fermier. Malgré le mugissement du vent, Francesca entendit, elle en fut certaine, un moteur qui démarrait, sur la colline, entre les arbres.

Carlisle McMillan réserva un billet sur le vol Falls City-Seattle, avec escale à Denver, pour le lundi suivant. Il avait le réaménagement d'une cuisine à terminer à Livermore, ce qui lui prendrait deux ou trois jours. Ça calmerait le propriétaire qui s'impatientait, et ça rapporterait à Carlisle de quoi payer son voyage.

Il téléphona à ses clients de Livermore pour leur annoncer qu'il serait là le lendemain matin, que le placard d'angle avec plateau tournant était fait et qu'il pourrait finir le travail. Ils furent bien contents, ne se privèrent pas néanmoins de souligner qu'ils en avaient assez de cuisiner dans le garage et de manger dans le salon. Carlisle dit qu'il les comprenait tout à fait, puis il raccrocha, rassembla ses outils et les chargea dans la camionnette.

Le coup de klaxon fit sursauter Francesca. Elle était tellement abîmée dans ses pensées, à se demander ce qui pouvait bien se trouver là-haut, dans le bosquet, et le vent soufflait si fort, qu'elle n'avait pas entendu arriver Floyd Clark dans son pick-up. Il était arrêté à l'autre bout du pont, il criait :

– Hé, Frannie. Frannie ! Harmon vous a aperçue sur la route, je me suis dit que vous aimeriez peut-être que je vous ramène chez vous avant que le temps se gâte trop. On est bon pour une tempête d'ici quelques minutes !

Elle pivota d'un bond, Floyd Clark se penchait par la vitre du pick-up, il lui faisait signe de le rejoindre. Aussitôt elle se retourna pour scruter le bosquet.

– Frannie ! Laissez-moi vous ramener ! Vous allez attraper la mort !

Il klaxonna à nouveau.

Francesca Johnson sortit du pont, le regard rivé sur la colline, mais elle ne voyait que la neige qui tourbillonnait dans l'air et sur la route. Floyd Clark était descendu de son véhicule, son pas résonnait entre les parois du pont, il s'approchait d'elle. Alors elle s'élança vers le haut de la butte, aussi vite qu'elle le pouvait, gênée par ses bottes en caoutchouc.

Aux trois quarts de la pente, elle trébucha et tomba. Elle réussit tant bien que mal à se relever, le devant de son ciré était maculé de boue qui dégoulinait dans ses bottes. Son capuchon avait glissé, ses cheveux étaient tout mouillés, des mèches pendaient sur ses épaules et collaient à son visage. Elle se remit à courir.

Floyd Clark était derrière elle, il lui hurlait :

— Frannie, mais vous êtes folle !

Francesca arriva en haut de la colline, s'avança entre les arbres. Floyd n'était qu'à quelques mètres d'elle, à bout de souffle, ce qui ne l'empêchait pas de crier qu'elle ne couperait pas à une pneumonie.

A l'extrémité de l'étroit bosquet, il y avait des traces de pneus dans la boue, et une odeur de gaz d'échappement s'attardait dans l'air. Francesca Johnson resta là, pétrifiée, les cheveux pleins de neige, à se représenter un vieux pick-up, là-bas, qui descendait la route gravillonnée et s'en allait loin d'elle.

Floyd lui prit le coude, la ramena au pied de la colline et lui fit traverser le pont Roseman. A l'entrée nord, une petite pièce métallique gisait sur le sol. Elle la ramassa et la fourra dans la poche de son ciré.

Dans le Chevy flambant neuf de Floyd Clark, qui la reconduisait chez elle, Francesca ne put que dire en contemplant la neige :

— J'ai cru voir quelqu'un que j'ai connu. Je vous en prie, Floyd, ne me posez pas de questions. C'était sans doute, simplement, mon imagination.

Il lui tapota le bras.

— Frannie, on a tous des idées bizarres à certains moments. Moi, quelquefois, il me semble entendre la voix de Marge qui m'appelle pour le petit-déjeuner.

De retour chez elle, Francesca alluma la lumière dans la cuisine et se débarrassa de son ciré. L'objet qu'elle avait ramassé à l'entrée du pont Roseman tomba de la poche, rebondit sur le sol et roula jusqu'au pied d'une chaise. Elle se pencha, le prit dans sa main et retira la petite pièce métallique, ronde, de l'anneau qui la retenait. Une médaille qui devait être attachée au collier d'un chien. Elle chaussa ses lunettes de lecture. Les mots gravés sur l'une des faces étant difficiles à déchiffrer, elle approcha la médaille de l'ampoule au-dessus de l'évier.

1981
63704
VACCINATION ANTIRABIQUE
CLINIQUE VÉTÉRINAIRE MONROE
BELLINGTON, ÉTAT DE WASHINGTON

Il y avait aussi l'adresse et le numéro de téléphone de la clinique. Francesca alla se camper devant la fenêtre de la cuisine. Dehors il faisait sombre, et la neige tombait dru, en coulées obliques. Elle resta là, serrant la médaille entre ses doigts, le regard tourné vers la Middle River. Elle resta là longtemps.

12

La route la plus sauvage d'Amérique

Robert Kincaid franchit le Missouri à Omaha, direction l'ouest. Il se rappelait à peine avoir parcouru les cent soixante kilomètres qui séparaient le pont Roseman de la majestueuse rivière, sur des routes enneigées et glissantes. Il n'avait à l'esprit qu'une femme et un vieux pont, et tous les souvenirs de leur histoire.

Il passa la nuit à Lincoln, Nebraska. En arrivant en ville, il observa les vitrines éclairées par les réverbères, il cherchait un motel qui n'entamerait pas trop sa cagnotte, laquelle s'amenuisait. Ce fut une longue nuit, la neige tombait, et il eut du mal à trouver le sommeil. La tempête céda la place à un anticyclone qui amena une matinée froide et ensoleillée. Il se leva de bonne heure, enfila son épais pull noir à col roulé, nettoya Harry et fit chauffer le moteur, puis il repartit vers l'ouest avec Highway à son côté.

Deux jours plus tard, après avoir enfin laissé la neige derrière lui, un peu à l'est de Salt Lake City, Robert Kincaid s'arrêta un moment à un carrefour. Il pouvait mettre le cap au nord-ouest, vers Seattle, ou suivre encore une fois la 50. Elle le mènerait à Reno puis dans le nord de la Californie.

Il tourna à gauche pour rejoindre la 50 qui avait la réputation d'être la route la plus sauvage d'Amérique. Il avait fait un long reportage sur elle, mais ça datait de vingt-cinq ans, d'avant qu'on construise les Interstates, et à l'époque elle était encore fréquentée.

Que serait ce pèlerinage ? se demandait-il. Il prit la 50 dans la petite ville de Delta et commença le long trajet à travers le Nevada et les hauts plateaux désertiques. Les panneaux conseillaient aux conducteurs de vérifier leur niveau d'essence. Il franchit la frontière du Nevada vers midi, par une de ces journées indécises où les montagnes se bagarrent avec le ciel ; quelques minutes de soleil, puis des nuages sombres et de la pluie, puis à nouveau des rayons de lumière qui perçaient les nuages, des vestiges de neige dans les cols.

Juste après la frontière du Nevada, il avisa une auberge avec deux antiques pompes à essence. Il remplit le réservoir de Harry et entra dans la bâtisse pour payer. Une grande femme svelte aux cheveux coiffés en une courte queue-de-cheval brune, vêtue comme une cow-girl – bottes, jean, chemise fermée par des boutons-pressions –, lui rendit la monnaie. Dans la salle trônaient deux machines à sous qui, pour l'instant, étaient muettes. Autour d'une table de poker, quatre cow-boys fumaient et buvaient de la bière. Une odeur de graillon imprégnait l'atmosphère et, dans le fond du local, un cuistot s'affairait bruyamment à ses fourneaux. Cet endroit n'avait sans doute pas changé depuis un demi-siècle, c'était justement ce qui plaisait à Kincaid.

– Au fait, Reno, c'est à combien d'ici ? demanda-t-il à la femme.

– A peu près cinq cent soixante kilomètres. Les kilomètres les plus longs, les plus démoralisants que vous puissiez imaginer. Vérifiez vos pneus, votre huile, votre radiateur, et soyez bien sûr de vous. Il n'y a pas âme qui vive dans le coin, à part les serpents et les cow-boys. Or, le samedi soir, c'est blanc bonnet et bonnet blanc, conclut-elle, assez fort pour que les joueurs, à la table de poker, l'entendent.

L'un d'eux tourna la tête vers elle.

– Hé ! Mindy, il me semble que, hier soir, personne ne t'a forcée à monter dans la bagnole de Hoot, fit-il d'une voix traînante. Si je me rappelle bien, tu avais une bouteille de bière dans chaque main et tu l'as suivi avec un certain enthousiasme, tu es même sortie d'ici en dansant.

– Oh, tais-toi, Waddy, pouffa-t-elle en rougissant. Tu n'es pas censé dire des bêtises pareilles devant les clients.

Robert Kincaid lui sourit, salua les cow-boys d'un geste de la main et rejoignit Harry. Il quitta cet endroit formidable, l'un des derniers d'Amérique, et prit la direction du col de Sacramento. Devant lui, l'herbe gris-vert. Qui avait écrit là-dessus ?... En tout cas, quelqu'un qui ne manquait pas de talent.

La lumière était bonne, et toute sa vie il avait été en quête de bonne lumière. Avec les anciens moulins à vent au loin, l'herbe gris-vert, ce n'étaient pas les sujets qui manquaient, s'il décidait de faire quelques photos. Mais, pour des raisons mystérieuses, il n'en avait pas envie. Il ressentait seulement un besoin, qu'il n'analysait pas, de continuer à rouler.

Alors il roula. La 50 s'étirait vers l'ouest à travers un paysage absolument désert, si désolé qu'il l'incita à remonter le temps, à remuer le passé. Son père était décédé cinquante et un ans plus tôt, et cela avait donné à Kincaid le sentiment d'être déjà vieux. Sa mère était morte en 1937, sept ans après.

Il se rappelait son enfance, interminable et solitaire, qui annonçait ce que serait son existence entière. Le sport et la danse ne l'intéressaient pas, l'enseignement traditionnel, qui s'acharnait à broyer ou du moins à brider son esprit, lui inspirait de l'ennui et presque de la haine. Il était devenu un garçon introverti qui dévorait quasiment tout ce qui lui tombait sous la main, à la bibliothèque de Barnesville, dans l'Ohio. Les livres, les rivières et les prairies avaient été ses compagnons de jeunesse. Les réunions entre les parents et les enseignants, les tentatives qui en résultaient pour le ramener dans le rang afin qu'il « concrétise son potentiel », comme disait l'un des ses professeurs, n'aboutissaient à rien. Pourtant, il réussissait plutôt bien aux examens, ce qui ne servait qu'à attiser la frustration des autres, vu son attitude et le peu d'attention qu'il semblait accorder au travail scolaire.

— A la limite, on croirait que ce garçon est le rejeton du vieil Artemas Kincaid, avait dit son père un soir, en rentrant de l'usine de vannes où il avait travaillé toute sa vie. Il y a quelques générations de ça, Artemas gagnait sa croûte en grattant du banjo et en jouant au billard sur le Mississippi. Ce garçon lui ressemble. Il ne fait pas comme tout le monde et il a la bougeotte.

Néanmoins, ses parents n'avaient guère de reproches à lui faire. Robert Kincaid était calme et poli, il ne leur causait pas de peine, hormis ses démêlés avec l'école, et il se débrouillait pour trouver un job pendant les vacances. Quand il était au lycée, il avait travaillé à la scierie deux étés d'affilée, les deux derniers étés qu'il avait passés à Barnesville. Il préparait le bac, lorsque la grande crise économique avait ravagé le pays, et il venait de décrocher son diplôme depuis un mois quand son père était mort. Il s'était enrôlé dans l'armée pour subvenir aux besoins de sa mère et aux siens. Là, en tant qu'assistant photographe, il avait découvert le métier auquel il se consacrerait.

Quant aux femmes, il en avait connu quelques-unes. Peu, mais il s'en contentait. Robert Kincaid n'était pas un coureur de jupons, quoiqu'il aurait facilement pu l'être, car son travail l'emmenait aux quatre coins du monde et lui offrait de nombreuses opportunités. Quelques brèves aventures, un mariage qui n'avait pas duré longtemps parce qu'il était continuellement absent. Et puis, Francesca Johnson. Après Francesca, il n'avait plus regardé les femmes. Pendant ces seize dernières années, ce n'était pas une fidélité volontaire ni un célibat pénible qu'il avait vécus, ni une épreuve. Après Francesca, tout simplement, ça ne l'intéressait plus. Son histoire avec elle avait été un moment charnière, une frontière au-delà de laquelle aucune autre histoire ne pouvait exister.

Voilà ce qu'avait été son parcours. D'abord, les trains et les cargos, jusqu'à ce que les grands vaisseaux volants et les DC-3 permettent de parcourir plus vite de longues distances. Ensuite les 707. Des dromadaires et des jeeps dans les déserts du Sahara et du Rājasthān. Une mule, à deux reprises, et même un cheval, bien qu'il n'ait jamais été un bon cavalier. Mais en Mongolie, le cheval était l'unique moyen de transport lorsqu'il avait fait en 1939, pendant neuf semaines, un reportage sur les empires mongols, et sillonné les immenses steppes éternelles sur les traces des guerriers de Gengis Khān.

Il avait eu sa part de coups durs. Pourtant, hormis la guerre et une multitude de plaies et de bosses, tout compte fait, il avait été chanceux. Quelques déchirures musculaires, une fracture de la cheville, une blessure à la tête, au Congo, quand le bateau avait chaviré dans le Stanley Pool. Et la fièvre jaune qu'il avait attrapée au Brésil à cause d'une piqûre de moustique, qui lui avait fait voir la mort de près. Une religieuse catholique l'avait soigné pendant cette horrible bataille, lui disant dès qu'il reprenait brièvement conscience :

– Monsieur Kincaid, du quatrième au huitième jour, c'est la phase critique. Vous devez tenir huit jours, ensuite, tout à coup, vous serez guéri.

Il avait guéri, en effet, même s'il avait gardé un teint jaunâtre durant des semaines.

Robert Kincaid pensait à tout ça, en roulant sur

la 50. L'herbe gris-vert était loin derrière lui, il traversait le paysage aride des Shoshone Mountains.

Il dit à son chien :

— Tu vois, quand j'y réfléchis — ma vie, les manques, tout ça —, c'est plutôt bien, et toi, tu as été un de mes plus beaux cadeaux. Tu sais quoi ? Dès qu'on rentrera à la maison, j'appellerai les renseignements et je demanderai le numéro de téléphone de M. Richard Jonhson à Winterset, Iowa. Juste comme ça, pour savoir. J'aurais peut-être dû le faire quand on était là-bas. Non, ça aurait été moche. De toute manière, j'étais tellement dans la nostalgie que je n'y ai pas pensé. A moins que je n'aie pas voulu y penser.

Le chien se leva et lécha la figure de Robert Kincaid, qui l'entoura de son bras. Ils quittaient maintenant les Shoshone Mountains, ils allaient vers Reno. Kincaid et le chien semblaient sourire, lorsqu'ils commencèrent à chercher un endroit où dormir, un dimanche soir.

13

Le Shorty's

Après avoir pris la correspondance à Denver, Carlisle McMillan atterrit à Seattle un lundi après-midi. Nighthawk Cummings jouait au Shorty's le mardi soir, Carlisle se l'était fait confirmer avant de réserver son billet d'avion.

– Ouais, depuis cinq ans, Nighthawk joue ici tous les mardis, lui avait dit le barman au téléphone. J'en déduis que, la semaine prochaine, il sera là comme d'habitude.

Il réserva une chambre dans un hôtel du centre, et se balada dans Seattle qui profitait d'une des rares journées ensoleillées en cette saison. Il se sentait un peu perdu dans ce qui lui semblait une marée humaine qui allait et venait. En dix minutes, il vit plus de gens tourniquer autour de lui qu'il n'en verrait en dix ans à Salamander, dans le Dakota du Sud. Ses pas le conduisirent vers Spring Street. Au milieu du pâté d'immeubles, se trouvait le Shorty's, à l'emplacement exact qu'on lui avait indiqué.

Ce lundi-là, après Reno, en direction de l'ouest vers la Californie, Robert Kincaid fit halte dans une ville baptisée Soda Springs, pour la simple raison que ce nom lui plaisait. Il remit de l'huile dans le moteur de Harry et acheta des provisions, remplit sa vieille glacière de fruits et de légumes frais, de pain et, bien sûr, de barres de Milky Way.

En milieu d'après-midi, il bifurquait à cinquante kilomètres de Clear Lake, et deux heures plus tard il atteignait le Pacifique à Fort Bragg. Il n'avait pas choisi cet itinéraire par hasard. Il aurait pu se dire que ses décisions lui avaient été dictées par un désir de rester sur des routes peu fréquentées, mais il savait bien pourquoi il avait préféré passer par là : Fort Bragg, en Californie, n'était qu'à seize kilomètres de Mendocino.

Le crépuscule tombait et les boutiques fermaient, lorsque Robert Kincaid sortit de l'autoroute 1 et entra dans Mendocino. Il se gara à une centaine de mètres de la galerie, laissa le chien dans le pick-up et longea le trottoir jusqu'à la vitrine où étaient exposées les photographies de Heather Michaels.

Devant la porte, il s'arrêta, ne sachant pas trop

ce qu'il faisait là ni ce qu'il pourrait dire à la femme aperçue lors de son dernier passage à Mendocino. Il fut surpris de la voir soudain se matérialiser de l'autre côté de la porte. Wynn McMillan avait la main sur le panonceau OUVERT, pendu à une chaînette, et le retournait pour afficher l'inscription FERMÉ. Elle interrompit son geste, sans toutefois lâcher le panonceau. Elle observa à travers la vitre l'homme grand et mince, aux longs cheveux gris, détailla le jean qu'il portait, le sweater noir, les bretelles, le couteau suisse accroché à son ceinturon. Et elle se remémora brusquement le petit cours concernant l'utilité des bretelles qu'elle avait reçu sur une plage de Big Sur, près de quarante ans plus tôt.

Comme si le temps revenait sur ses pas, elle ouvrit lentement la porte et resta un moment immobile, les yeux rivés à ces yeux bleu pâle qui éclairaient un visage buriné et ridé par tant de soleils lointains. L'homme s'humecta les lèvres, il s'apprêtait à parler, mais les mots ne venaient pas. Il essaya encore, vainement. Il regarda ses bottes, puis la femme devant lui. Il avait l'air grave, une légère rougeur colorait ses pommettes.

– Je m'appelle Robert Kincaid, dit-il, car il ne savait pas que dire d'autre.

– Je crois que nous nous connaissons, répondit

Wynn McMillan avec un sourire doux. Depuis longtemps, il me semble.

Wynn McMillan était assise face à Robert Kincaid, à une table du bar-restaurant La Mouette. Le
noroît se levait et ourlait l'océan d'écume, par une
fenêtre ouverte on entendait le fracas des vagues qui
se brisaient sur les rochers.

Kincaid commanda une bière, Wynn prit du vin
blanc. Il noua ses mains sur la table, les contempla,
puis regarda Wynn McMillan et sourit. Il s'efforçait
de trouver quelque chose à dire. Mais il ne put que
pousser un long soupir, comme s'il retenait son souffle depuis un bon moment. A nouveau, il esquissa
un sourire hésitant.

– C'est bien toi, n'est-ce pas ? Sûr ? demanda
Wynn, pour meubler le silence et avoir une confirmation définitive.

– Si tu parles d'un homme qui est arrivé en moto
à Big Sur, en 1945, et qui a fait l'amour, sur une
plage déserte, avec une ravissante jeune violoncelliste, la réponse est oui. C'est un peu embarrassant
pour moi, et sans doute pour toi aussi.

Ils se comportaient comme deux vieux camarades,
non comme d'anciens amants. Big Sur ne datait pas

d'hier et, à l'époque, ils n'avaient passé que quelques jours ensemble.

— Il y a une semaine environ, tu étais à Mendocino, je ne me trompe pas ? dit Wynn.

— Non. Je ne t'aurais peut-être pas reconnue, sans cette façon que tu as de bouger les mains et peut-être de coiffer tes cheveux, comme autrefois, de toucher le peigne qui les retient.

Robert Kincaid dévisagea Wynn McMillan. Il fut frappé de constater que leur différence d'âge, treize ans, semblait plus grande aujourd'hui qu'en 1945. Lui faisait largement ses soixante-huit ans, il le savait. Elle, à cinquante-cinq ans, n'avait pas complètement perdu sa jeunesse.

— Tu joues toujours du violoncelle ?

— Oui, surtout avec des amis. Parfois nous donnons un petit concert, en ville. Et toi ? Tu étais dans la photo, n'est-ce pas ?

— Effectivement, j'ai beaucoup voyagé pendant toutes ces années. J'ai travaillé souvent à l'étranger.

Il terminait sa bière quand le serveur vint leur demander si tout allait bien. Le verre de Wynn était encore aux trois quarts plein. Kincaid commanda une deuxième bière, sortit ses Camel. Il remarqua qu'il n'y avait pas de cendrier sur la table et rempocha son paquet de cigarettes.

— Je t'ai écrit deux ou trois fois après avoir quitté Big Sur, dit-il.

— J'en suis partie peu de temps après toi.

Elle ne donna pas d'autres précisions, cela suffisait pour expliquer qu'elle n'avait jamais reçu ses lettres.

La suite serait plus difficile, et Wynn McMillan s'interrogeait : fallait-il parler de Carlisle ? Elle décida que cet homme, assis face à elle, dont elle avait oublié le nom jusqu'à ce qu'il le lui rappelle, avait le droit de savoir. En outre, Carlisle le recherchait.

— Est-ce que tu es marié, tu as une famille ? dit-elle, pour orienter la conversation vers le sujet qu'elle voulait aborder.

— En 1953, j'ai épousé une femme charmante. Nous avons divorcé quelques années plus tard, nous n'avions pas d'enfants. Mon travail et le mariage s'accordaient mal, j'étais trop souvent absent. Et toi ?

Voilà, le moment était venu de parler. Wynn McMillan fit tourner son verre de vin entre ses doigts, regarda un instant par la fenêtre le Pacifique qui devenait houleux, le noroît prenant des forces à mesure que la marée montait. Le barman racontait une blague à deux hommes et une femme, installés au bar, qui éclatèrent d'un rire strident. Kincaid observait les divers coquillages et étoiles de mer qui décoraient les murs de la salle. Il reporta son attention sur Wynn McMillan quand elle dit :

– J'ai été mariée pendant six ans, à l'approche de la quarantaine. J'avais renoncé à mon rêve de devenir violoncelliste d'orchestre symphonique, peut-être parce que je n'étais pas assez bonne musicienne, techniquement, peut-être aussi à cause des préjugés que certains directeurs artistiques avaient contre les femmes, à l'époque. Bref, je me suis lancée trop vite dans un mariage qui, dès le début, était une erreur. Ça n'a fait qu'empirer. Mais j'ai quand même été heureuse. Ici, dans la région, j'ai rencontré plusieurs hommes qui, eux aussi, étaient charmants.

Elle se perdait en circonlocutions et en avait conscience.

Le serveur apporta sa bière à Kincaid, s'éloigna.

– Tu n'as pas eu d'enfants ? demanda Kincaid.

Il rajusta l'une de ses bretelles, son ceinturon, le couteau qui y était accroché.

Wynn McMillan se souvenait de ces gestes, il avait les mêmes autrefois, à Big Sur. Il vérifiait que tout était en place, s'assurait qu'il était prêt à accueillir ce qui approchait. Elle lissa la serviette sur ses genoux, ôta ses lunettes et les posa sur la table. Elle le regarda longuement, puis elle prit sa main dans les siennes.

205

— Nous... nous avons un fils, Robert Kincaid... toi et moi, nous avons un fils. Il s'appelle Carlisle.

Le mardi matin, Carlisle McMillan passa au *Seattle Times* et se présenta à Ed Mullins, le rédacteur responsable de la documentation photo qu'il avait eu au téléphone.

— Bonjour, monsieur McMillan. Ça me fait plaisir de vous rencontrer, j'ignorais que vous comptiez venir à Seattle. Figurez-vous que je n'ai retrouvé qu'hier l'article de Kincaid dans « Voies ferrées des hauts plateaux désertiques ». Bêtement, je l'avais classé dans mes archives sur les trains. J'aurais dû le mettre dans le dossier « Kincaid ». C'était plus logique. Suivez-moi, je vais vous le photocopier.

Mullins paraissait extrêmement occupé, son téléphone n'arrêtait pas de sonner, une foule de gens entraient et sortaient de son bureau pour lui poser des questions, lui soumettre suggestions et projets. Sitôt que l'article fut photocopié, Carlisle remercia le rédacteur et s'en alla.

Il retourna à son hôtel, déjeuna et but une bière tout en lisant l'article, puis fit une longue sieste. Il tuait le temps, il n'en pouvait plus d'impatience. Nighthawk Cummings serait sur scène à vingt et une heures. Lorsque Carlisle se réveilla, il avait encore six heures à attendre. Il décida de se rendre au Shorty's vers vingt heures, au cas où Robert L. Kincaid arriverait en avance.

Il répétait ce qu'il dirait, et rien ne lui convenait. Tout lui semblait détestable, indiscret, voire insultant. D'après ce qu'il avait appris en discutant avec Mullins et Goat Phillips, qui avait abandonné son labo un petit moment pour lui parler, Kincaid était très réservé et plutôt inaccessible. En fait, ils le considéraient comme un original.

Carlisle réfléchit à qu'il pourrait dire à Kincaid, et plus il réfléchissait, plus il sombrait dans l'idiotie. En réalité, c'était risible.

« Bonsoir, je suis Carlisle McMillan, et j'ai des raisons de penser que je suis votre fils illégitime. »

Ou bien : « Salut, il paraît que vous avez eu une Ariel Four. Une sacrée machine. »

Ou encore : « Salut, vous n'auriez pas fait l'amour avec une femme en Californie, à Big Sur ? »

Ou peut-être : « Vous ne connaîtriez pas une violoncelliste, une certaine Wynn McMillan ? »

C'était tellement grossier, que Kincaid serait en droit de se lever et de sortir, en courant même. Et tout serait terminé à jamais.

Finalement, Carlisle décida de se conduire comme le charpentier qu'il était. Jauger le travail en arrivant au Shorty's et réfléchir à partir de là. A dix-neuf heures, alors que les lumières de la ville brillaient derrière la fenêtre de sa chambre, il mit un pantalon propre, kaki, une chemise en flanelle et enfila sa veste en cuir.

L'ascenseur l'emmena au rez-de-chaussée.

La rue le conduisit jusqu'au Shorty's.

Là, le portier lui dit que l'entrée coûtait trois dollars. Puis il ajouta :

– Il n'y a qu'une table pour deux dans la salle, près du mur, et Nighthawk la réserve pour un ami à lui qui vient presque tous les mardis. Puisque vous êtes seul, nous vous serions reconnaissants de vous installer au bar.

Carlisle répondit qu'il comprenait tout à fait, s'assit au bar et commanda une bière, les yeux rivés sur la table, près du mur, l'écriteau RÉSERVÉ posé sur la nappe à carreaux bleus. Sur la petite scène, non loin de la table réservée, le batteur installait ses instruments.

Robert Kincaid et Wynn McMillan discutèrent durant une bonne partie de la nuit du lundi. A un moment, il se souvint brusquement, avec remords, de Highway enfermé dans le pick-up. Ils se promenèrent avec le chien le long du cap, en plein vent. Les nuages filaient devant le croissant de la lune.

Wynn lui raconta l'enfance et l'adolescence de Carlisle et, quand ils retournèrent au restaurant pour dîner, elle lui expliqua comment leur fils était devenu maître charpentier grâce à l'enseignement de Cody Marx.

Elle lui dit aussi comment Carlisle s'était lancé sur les traces d'un homme nommé Robert Kincaid, comment il avait trouvé ce nom à force de recherches, jointes aux souvenirs qu'elle, Wynn, lui avait confiés. Kincaid écoutait, il essayait de s'adapter mentalement au virement de bord qui bousculait sa vie, celle qui était devant lui et derrière lui. Ce qui avait été, jusqu'à cet instant, sa vérité intime, le sentiment viscéral d'être seul dans l'univers. Ceci et tout le reste étaient complètement brouillés par ce que Wynn McMillan venait de lui raconter.

Vers vingt-trois heures, elle lui dit :

— Robert, je crois qu'on devrait téléphoner à Carlisle et lui annoncer que tu es là.

Kincaid acquiesça, et la suivit vers la cabine au fond de la salle. Wynn composa le numéro de Carlisle, dans le Dakota du Sud. A la dixième sonnerie, elle raccrocha.

— Dieu sait où il est, dit-elle avec un sourire. Il est un peu comme son père, toujours par monts et par vaux. J'en ai assez de ce restaurant, si ça ne t'ennuie pas, nous pourrions aller chez moi et continuer à discuter.

Plus tard, entre une et deux heures du matin, il demanda si elle accepterait de jouer du violoncelle pour lui, le morceau qu'elle lui avait joué à Big Sur. Wynn s'assit sur une chaise à dossier droit et joua Schubert. Robert Kincaid, installé dans un rocking-chair, écouta, la tête baissée, les mains jointes sur ses cuisses.

Quand elle eut terminé, il la remercia et dit :

— Wynn, je me rappelle combien le sable était chaud en septembre 45. C'est une des choses que je n'ai jamais oubliées.

Wynn lui sourit gentiment.

— Je sais, Robert Kincaid. Moi non plus, je n'ai pas oublié.

Il avait un petit boulot qui l'attendait, quelques photos pour un mensuel de Seattle. Ça lui rapporterait trois cents dollars, et il avait besoin de cet argent. Wynn et lui convinrent cependant que, d'une manière ou d'une autre, ils se retrouveraient tous les trois — Wynn, Kincaid et Carlisle — pour passer du temps ensemble.

— Je ne suis pas sûre que nous formions une famille, dit-elle. Mais il me semble que ce serait bien de nous réunir, de nous raconter nos vies, ce que nous avons fait et n'avons pas fait, les échecs et les réussites.

Il proposa de l'emmener dans le Dakota du Sud. Mais, à cause de son travail, elle demanderait plutôt à Carlisle de venir ici. Il sauterait sans doute dans le premier avion, quand il serait au courant.

Wynn lui proposa à son tour de dormir sur le canapé, ce qu'il refusa poliment. Si elle était d'accord, il serait heureux de prendre le petit-déjeuner avec elle, de bonne heure. Il avait envie d'être seul avec ses pensées, et de méditer tout ce que Wynn lui avait dit.

Le lendemain matin, le mardi, ils restèrent un moment près du pick-up, avant le départ de Kincaid pour Seattle. Il était reposé et, dans la lumière du jour, alors qu'il passait le bras par la vitre ouverte pour caresser son chien, elle retrouva en lui le motard de Big Sur. Il claudiquait un peu, à présent, mais ses larges épaules et son corps minces étaient intacts. Il avait aussi la même intensité qu'autrefois. Et ces yeux qu'elle n'avait jamais oubliés, qui au travers et au-delà de ce qu'ils regardaient voyaient quelque chose que Kincaid était le seul à voir et qu'il ne pouvait exprimer que par l'objectif de son appareil photo.

Elle lui sourit. Il tendit la main pour serrer la sienne, puis s'avança et l'étreignit, respirant le parfum de ses cheveux, comme sur la plage de Big Sur, trente-six ans plus tôt. Elle appuya sa tête contre sa poitrine, pointa le doigt vers l'océan.

– Les baleines viennent toujours en mars, murmura-t-elle.

Nighthawk Cummings monta sur scène à vingt et une heures deux, applaudi par une salle aux trois quarts pleine. Il claqua des doigts pour donner le tempo, prit un vieux saxophone ténor Selmer et lança ses premières notes. Le quartet interpréta, pour commencer, *This is a Lovely Way to Spend an Evening*. Le saxo de Cummings était fluide et onctueux, cependant on devinait sous cette eau lisse l'écho d'un bop nerveux et puissant.

La table à l'écriteau était encore libre. Carlisle McMillan essayait de se concentrer sur la musique, sans y parvenir. Il regardait la table, la porte, la table.

Elevé par Wynn McMillan, violoncelliste, Carlisle avait une bonne oreille, mais pas pour ce genre de musique. Nighthawk Cummings annonçait les titres des morceaux, en marmonnant dans le micro, comme si tout le monde les connaissait déjà et qu'il s'agissait plus d'une formalité que d'une nécessité. Carlisle l'entendit vaguement mentionner *Green*

Dolphin Street et *Oleo*, composé par un certain Rollins ; le prénom lui échappa.

A la première pause, alors qu'il n'y avait toujours personne à la table et qu'on n'avait pas enlevé l'écriteau, Nighthawk Cummings s'approcha du bar et commanda un Glenlivet. Il était à un mètre de Carlisle, adossé au comptoir, et observait le public en buvant son whisky. Des gens s'arrêtaient pour lui serrer la main, de vieux fans qui lui parlaient en connaisseurs.

– Ouais, dit Nighthawk à l'un d'eux, de sa voix traînante. Joey nous a fait un accord de septième diminuée sur la tonique – en principe, il ne fait pas ça dans *Stars Fell on Alabama* – et j'ai entendu dans ma tête un son que je n'avais jamais encore associé à cette mélodie.

Une autre personne réclama *Autumn Leaves*, et Nighthwak répondit :

– On le jouera peut-être tout à l'heure. J'ai un ami qui aime cet air, j'attends de voir s'il va venir ce soir.

Quand ses admirateurs se furent éloignés, Nighthawk tourna les yeux vers Carlisle.

– Il ne me semble pas vous avoir déjà aperçu dans ce club.

– Je suis là pour une raison précise, dit Carlisle avec un sourire.

213

Nighthawk Cummings plissa les paupières.
– Laquelle ?
– Je cherche un certain Robert Kincaid.
Le visage de Nighthawk resta impassible.
– Et pourquoi vous le chercheriez ?
Carlisle lui servit son histoire d'arbre généalogique, dans l'espoir que Nighthawk lui donne quelques informations. Mais Cummings but une gorgée de Glenlivet et se tut.
Carlisle respecta un moment son silence, par correction, puis ajouta :
– J'ai cru comprendre qu'il était un habitué et que vous étiez amis.
– Si nous l'étions, je n'aurais rien à vous dire. Je ne parle pas de mes amis, sauf s'ils me le demandent. Parler de ses bons amis, c'est la meilleure manière de les perdre. Enchanté de vous avoir connu, mon vieux. Il faut que j'y aille.
Nighthawk Cummings remonta sur scène, saisit son saxo ténor et se mit à jouer, ses doigts couleur d'ébène courant sur les clés, à une vitesse folle, tandis que les autres musiciens reprenaient leur place.

A vingt heures, ce mardi-là, Robert Kincaid était de retour chez lui. Il nourrit son chien et lui fit faire sa promenade du soir. Ensuite il s'assit dans la cuisine et pensa à ce que Wynn McMillan lui avait révélé. Tout cela était comme un rêve. Durant ces dernières vingt-quatre heures, son étrange existence était devenue plus étrange encore.

Il sortit du classeur la boîte de photos. Un long moment, il resta là à contempler Francesca Johnson. Quelques jours plus tôt, il était dans l'espace de Francesca, il s'était souvenu. Et, bon Dieu, il l'aimait toujours, tellement fort, même s'il admettait que, dans ce domaine, les souvenirs embellissent les choses.

Il fallait que Francesca sache pour Wynn et Carlisle. Il ne s'expliquait pas pourquoi c'était indispensable, en cet instant ça lui paraissait simplement s'imposer – une question de vérité et d'honnêteté. Trois ans plus tôt, il avait déposé une lettre chez un notaire. Des instructions pour que, s'il lui arrivait malheur, le notaire envoie la lettre et quelques objets personnels dans l'Iowa, comté de Madison. Il décida de rédiger une nouvelle lettre et de la déposer à l'étude du notaire dès qu'il en aurait l'occasion.

Alors qu'il regardait l'image de Francesca, il se mit à pleurer. Ses pleurs se muèrent en sanglots déchirants. Kincaid s'accouda sur la table de la cuisine et laissa les larmes couler, aussi longtemps qu'il le fallut. Entre deux sanglots, il bredouillait :

– Seigneur... tout ce temps... tout ce... cette foutue solitude.... et je n'étais pas seul.

Highway vint s'asseoir à son côté, lui poussant le bras du museau.

Robert Kincaid avait désormais à affronter le sentiment de culpabilité qui le tenaillait. Le remords d'avoir engendré un fils et de n'avoir pas été là pour aider Wynn McMillan à l'élever. Wynn avait fait de son mieux pour alléger ce remords, répétant qu'elle n'avait jamais regretté d'avoir mis Carlisle au monde, et que Kincaid ne pouvait pas deviner, c'était impossible.

Ses paroles l'avaient quelque peu réconforté, mais il savait qu'il porterait cette culpabilité jusqu'à la fin de ses jours. Les circonstances, c'était une chose, n'avoir pas été là, c'était une autre affaire, et il ne s'en accommoderait pas. Peut-être trouverait-il un moyen de réparer ses torts envers elle et Carlisle.

Une demi-heure après, il consulta sa montre. Vingt et une heures. La nuit était belle, et Nighthawk commençait à jouer. Bon sang, un type qui s'en était allé rejoindre Francesca Johnson et avait découvert qu'il avait un fils dont il ignorait l'existence devait célébrer, ou du moins marquer l'événement. Un grand amour perdu, un fils retrouvé. L'un ne remplaçait pas l'autre, ces deux entités étaient trop différentes, mais il éprouvait une sensation d'équilibre qu'il n'avait jamais connue. Il avait encore le temps d'attraper le ferry de vingt-deux heures.

Kincaid s'approcha de la couverture sur laquelle Highway était couché. Il caressa le chien.

– Je reviens bientôt, mon grand. Je vais voir notre copain Nighthawk.

Il enfila son manteau, sortit et referma la porte sans bruit.

Carlisle remonta la manche de sa veste en cuir sur son poignet pour consulter sa montre. La fumée qui envahissait le Shorty's lui piquait les yeux, il avait du mal à distinguer les chiffres sur le cadran. Vingt-deux heures trente, et la table pour deux, près du mur, était toujours libre. Il commanda sa troisième bière de la soirée.

Nighthawk Cummings et son groupe jouaient *It Don't Mean a Thing* d'Ellington. Nighthawk s'était reculé sur la scène. C'était le solo du pianiste ; les mains du bassiste, pareilles à des araignées véloces, pinçaient les cordes de la contrebassse ; le batteur secouait la tête en cadence. Carlisle remarqua que Nighthawk regardait la porte du Shorty's, souriait et adressait un salut discret à quelqu'un.

Carlisle pivota sur son tabouret et vit un homme aux longs cheveux gris entrer. Il sentit la sueur mouil-

217

ler ses paumes, tandis que l'homme se faufilait entre les tables pour s'asseoir à celle qui était réservée, près du mur. D'après les photographies trouvées dans le *National Geographic*, Carlisle eut la certitude que c'était bien Robert Kincaid. Un serveur apporta aussitôt une bière au nouveau venu et retira l'écriteau. Nighthawk reprit son saxo pour la fin du morceau.

Le groupe en interpréta deux autres, puis Nighthawk dit au micro :

— Et maintenant, pour un bon ami à moi, je vais jouer un air que j'ai composé il y a longtemps : *Francesca.*

Nighthwak donna le tempo, un tempo lent de blues, le saxo résonna, rauque et mélodieux – on aurait juré qu'il prononçait le nom de la femme. L'homme installé à la table pour deux repoussa ses cheveux en arrière, noua les doigts autour de sa bouteille de bière. Il contemplait la bouteille, il écoutait.

Au deuxième chorus, Nighthawk se mit à chanter d'une voix rocailleuse de baryton :

> *Francesca, je me souviens de toi*
> *De ce qu'était l'été avec toi.*
> *Tu étais d'argent vêtue*
> *Les jours étaient longs et dorés...*

218

A la fin de la chanson, le pianiste plaqua un accord en *mi* bémol pour permettre à Nighthawk d'attaquer *Autumn Leaves*. Près du mur, l'homme grisonnant contemplait toujours sa bouteille de bière.

Carlisle, en l'observant, comprit ce que Wynn voulait dire quand elle parlait de ses yeux, des yeux de vieillard, plus vieux que le regard de ceux qui n'ont vécu qu'une vie. Il essaya d'imaginer, et n'eut aucune peine à le faire, cet homme assis à la table chevauchant une grosse moto dans la région de Santa Lucia, se penchant dans les virages, avec une jeune femme derrière lui, dont le vent emmêlait les longs cheveux, et qui le tenait par la taille.

Quand Nighthawk conclut *Autumn Leaves* par un arpège plaintif, il regarda Robert Kincaid assis là, seul et très loin de tout – en un lieu que Nighthawk Cummings connaissait. Kincaid rendit son regard à Nighthawk, sourit et le remercia d'un hochement de tête.

– Et maintenant, une petite pause, dit Nighthawk au micro, en reposant son saxo sur son support.

Il descendit de la scène, rejoignit la table pour deux et donna une poignée de main à Kincaid. Ils se mirent à bavarder. A deux reprises, Nighthawk jeta un coup d'œil à Carlisle qui était toujours au bar. Au bout d'un moment, l'homme grisonnant observa aussi Carlisle.

Peut-être que je m'y suis pris comme un imbécile, pensa Carlisle. Il était évident pour lui que ces deux personnages, *surtout ces deux-là*, Nighthawk et Robert Kincaid, si c'était bien lui, vivaient dans un univers étranger à celui de la plupart des gens, particulièrement de la génération de Carlisle. Ils n'avaient pas cette impatience, cette propension au rentre-dedans que les années 60 et 70 avaient engendrées et qui semblaient se répandre de plus en plus.

Robert Kincaid observa encore une fois Carlisle, il dit quelque chose à Nighthawk ; le saxophoniste se leva pour aller se poster à l'extrémité du bar. Il commanda un Glenlivet et entama une conversation avec le barman. Kincaid contempla un moment sa bière, il se remémorait la photo que Wynn McMillan lui avait apportée lorsqu'ils avaient pris le petit-déjeuner ensemble. Le téléphone, derrière le bar, sonna.

Kincaid se redressa et, claudiquant un peu, s'avança vers Carlisle. Il avait aux lèvres le sourire affectueux, compréhensif, d'un père qui n'a pas vu son fils depuis très longtemps.

14

Des heures étranges

Carlisle resta à Seattle deux jours de plus, et ces heures furent des heures étranges. Ils ne cessèrent de parler. Ils étaient dans le petit chalet de Kincaid, attablés dans la cuisine, et ils parlaient comme des gens qui viennent de se lier d'amitié plutôt que comme un fils et son père. Si ce lien-là devait exister un jour entre eux, il faudrait bien plus qu'une poignée de main et une longue conversation.

Mais chacun observait l'autre avec une extrême attention, essayait de s'adapter à ce qui, apparemment, était vrai et qui pourtant semblait irréel. Carlisle McMillan, le fils illégitime d'un voyageur solitaire, maintenant assis là, face à lui, à une table de cuisine. Robert Kincaid, le voyageur des pays et des rêves lointains, aux prises avec l'idée d'un fils dont il voyait le visage et dont il entendait la voix.

Kincaid, qui cherchait ses mots, dit et répéta combien il regrettait de n'avoir pas été là pour aider Wynn à élever Carlisle.

— Je lui ai écrit, Carlisle, je t'assure. Simplement, on s'est perdus de vue.

— Oui, quand j'étais jeune, ça m'embrouillait et ça me mettait en colère.

Tout en parlant, Carlisle étudiait le petit chalet. Il faudrait s'occuper du plafond, des taches d'humidité indiquaient qu'il y avait des fuites dans la toiture.

— Wynn a été une bonne mère, elle avait des façons et un mode de vie pas très conventionnels mais, à sa manière, elle était très stricte. Elle ne t'a jamais critiqué, elle assumait complètement sa part de responsabilité dans cette histoire.

Il évoqua ensuite Cody Marx, qui lui avait enseigné la vie et son métier de charpentier. Kincaid l'écoutait, toujours aussi attentivement.

— Eh bien, je suis vraiment reconnaissant à ce Cody Marx. Il est encore vivant ?

— Non, il est mort depuis un bon moment. Ça été dur pour moi, cette mort. Sans Cody, je ne sais pas trop où j'aurais atterri.

Il hésita, puis demanda :

— Est-ce que tu as aimé Wynn, à l'époque ? A moins que ce soit une question idiote ?

Kincaid tripota son paquet de Camel, prit une

cigarette qu'il alluma. Sur la boîte d'allumettes on pouvait lire : *Motel Bellevue – Astoria, Oregon*. Il aspira une bouffée de tabac, se frotta le menton avec la paume de la main.

– Je ne serais pas sincère si je disais que je l'ai aimée, Carlisle. Notre histoire n'a pas duré très longtemps. Pour beaucoup d'entre nous, c'étaient des années d'instabilité, on s'efforçait de mettre de l'ordre dans nos vies et nos têtes, après la guerre. Pourtant il ne s'agissait pas simplement de batifoler sur une plage, il y avait quelque chose de plus profond entre nous, je crois que nous le sentions tous les deux, seulement je n'ai jamais eu l'occasion d'aller plus loin. Nos intentions étaient pures, Wynn et moi en avons discuté l'autre soir, nous sommes d'accord là-dessus. Mais nous étions jeunes et... c'est difficile à expliquer...

Il s'interrompit, baissa les yeux sur ses mains.

– Wynn m'a toujours raconté la même chose que toi, au fil des ans, dit Carlisle. Tu sais, je me suis finalement libéré de ma colère. En quelque sorte, j'ai fait la paix avec tout ça...

Il eut la tentation d'achever sa phrase par « papa », mais ne put se résoudre à prononcer ce mot. Ce qui le rattachait à cet homme assis face à lui était le lien du sang, et peut-être un peu plus après ces heures passées ensemble, cependant ce n'était pas encore le bon moment pour l'appeler « papa ». Il était possible que le bon moment n'arrive jamais.

Kincaid extirpa un bandana jaune de la poche de son jean et se tamponna les paupières. Il regarda Carlisle.

— Toutes ces années perdues, Carlisle, alors que nous aurions pu faire tant de choses ensemble... toutes ces années...

Il secoua le bandana.

— Excuse-moi, ces temps-ci j'ai la larme facile.

Carlisle McMillan sentit ses yeux s'embuer et tendit le bras pour étreindre l'épaule de Robert Kincaid. Malgré l'âge et la minceur de Kincaid, son épaule était toujours solide et musclée. Le médaillon d'argent pendu à son cou avait glissé du col de sa chemise, et brillait à la lueur de la lampe. Une inscription y était gravée, mais sous les éraflures et la patine du métal, on ne parvenait plus à la déchiffrer. Un jour, Carlisle l'interrogerait à propos de ce médaillon. Pas maintenant.

— Ecoute, dit-il, sans lui lâcher l'épaule. Il me semble qu'un homme qui connaît le visage de son père a de la chance. Moi, je considère que j'ai eu de la chance.

Il demanda s'il pouvait voir les photos de Kincaid. Celui-ci s'anima aussitôt, heureux de cette requête, et se mit à fouiller dans ses classeurs, à en sortir des diapositives dans leur pochette transparente. Si les mots lui venaient avec peine, les images étaient un moyen de montrer au fils qui était là devant lui comment il avait vécu sa vie.

Il installa une petite table lumineuse portable sur celle de la cuisine. Ils passèrent tout l'après-midi du lendemain à regarder le travail de Robert Kincaid qui parla longuement de ses années de voyage, expliqua où et quand avait été réalisée telle prise de vues, quelles odeurs et quelle lumière lui rappelait chaque cliché. Carlisle reconnut plusieurs des photographies du *National Geographic* qu'il avait photocopiées.

Certains éléments de l'œuvre de Kincaid le surprirent. Si la majeure partie se distinguait par une admirable vision poétique, certaines photos en noir et blanc, très constrastées, étaient d'une brutalité inouïe. Il fut particulièrement fasciné par une série qui faisait partie d'un projet de l'UNICEF, « Les Bidonvilles de Djakarta ».

— Ce reportage a été une galère, dit Kincaid, les mâchoires crispées, en étudiant les épreuves disposées sur la table. Je l'ai fait pour une poignée de clous, seulement les frais, parce que ça valait la peine. C'est bien, à l'occasion, de se lancer dans ce genre de boulot. Ça permet de balayer les chromos que les gens semblent associer aux pays sous-développés. Là-bas, il n'y pas que des orangs-outangs et des éléphants, des cérémonies traditionnelles pittoresques, des couchers de soleil couleur de berlingot et des vols de flamants roses.

Il ouvrit une autre boîte de photos.

– Ça, c'est un travail personnel que j'ai réalisé l'année dernière dans une maison de retraite du centre-ville. Tous les pensionnaires ont eu leur portrait, encadré, prêt à être accroché dans la chambre ou posé sur une table ou offert à leur famille s'ils en avaient une, ce qui n'était pas le cas pour la plupart d'entre eux. Ça m'a apporté une grande satisfaction. Ils étaient tout excités pendant les séances de pose, tout endimanchés. Certains étaient cloués à leur lit, il a fallu que j'aie un peu d'imagination pour que ça ne ressemble pas à un hôpital.

Robert Kincaid souriait de plaisir en triant les clichés, en les montrant un à un à Carlisle.

– Ce monsieur avait été conducteur de locomotive, sur une petite ligne ferroviaire dans l'ouest de l'Etat. Il avait eu deux crises cardiaques, il était à moitié paralysé. Cette dame, elle, avait été chanteuse de cabaret. Lui, c'était un éboueur, lui un mécanicien, lui un ancien illustrateur de livres pour enfants, elle une prostituée. Dans cette maison, il y avait des centaines d'histoires passionnantes qui attendaient que quelqu'un les écrive.

Il remit les photos dans la boîte, sourit à nouveau.

Ce soir-là, tandis qu'ils préparaient le dîner, Kincaid se tourna vers son fils.

– J'ai une faveur à te demander, Carlisle.

Celui-ci se tut, cependant il remarqua combien Kincaid paraissait grave.

– Quand je mourrai, j'aimerais que tu brûles les négatifs, les diapositives et les photos. Je ferai en sorte que tout soit rangé dans le classeur de la cuisine et celui de la chambre.

Carlisle protesta, mais Kincaid lui coupa la parole.

– C'est ma conception de la vie et de la mort, et c'est impossible à expliquer avec des mots. J'ai le sentiment que le temps et moi, nous sommes de vieux compagnons, que je ne suis qu'un voyageur de passage sur le grand chemin. Ma vie ne vaut pas plus que ce que j'en ai fait, et j'ai toujours estimé que la quête de l'immortalité était non seulement futile mais grotesque, comme les cercueils de luxe sont une tentative pathétique pour échapper au cycle de la décomposition.

Kincaid remuait de la soupe aux légumes dans une casserole, il regardait Carlisle tout en parlant :

– Il y a ça et aussi le fait que mes photos risquent de circuler sans que j'aie la possibilité de savoir où et comment elles sont utilisées. Le docker de Mombasa et la jeune paysanne mexicaine pourraient se retrouver sur une brochure à deux sous pour une agence de voyage. La photo des hommes qui mettent à la mer leur bateau à rames pourrait illustrer une pub pour l'aviron. Ou alors, et ce serait presque aussi moche, tout ça atterrirait dans une exposition quelconque, avec des gens qui jugeraient mon travail en grignotant des crackers et du brie, qui chercheraient la signification profonde de photos qui n'en ont jamais eu. Ce ne sont que des images, après tout.

– Et si je veillais à ce que ça ne se produise pas ? dit Carlisle.

– Je ne doute pas que tu le ferais, aussi longtemps que tu vivras. Mais ensuite ?

Kincaid prit deux canettes de bière dans le réfrigérateur, en tendit une à Carlisle.

– D'ailleurs, ça va au-delà de la façon dont on se servirait éventuellement de ces images. C'est ce que je t'expliquais tout à l'heure. Quand je mourrai, j'aimerais ne rien laisser derrière moi, aucune trace. Qu'il ne reste rien. Carlisle, je suis comme ça, voilà, c'est ma vision des choses.

– D'accord. Je ferai ce que tu veux, je te le promets, même si je préférerais qu'il en soit autrement.

Kincaid le remercia, baissa les yeux, raclant le plancher du bout de sa botte. Brusquement, il ouvrit la bouche et se courba. La douleur lui transperçait la poitrine, il avait le vertige et la nausée. Il s'appuya au réfrigérateur, le visage couvert de sueur.

– Mon Dieu, ça ne va pas ? s'exclama Carlisle qui se précipita vers lui.

Kincaid agita la main.

– Ça ira mieux dans un moment. Ce genre de truc stupide, ça arrive quand on est vieux, bredouilla-t-il.

Sa figure tannée était grise, il luttait pour reprendre sa respiration.

Carlisle l'aida à s'asseoir sur une chaise. Au bout de quelques minutes, Kincaid s'arracha un faible sourire.

– Ça va. De temps en temps, ces foutues crises me tombent dessus. Et puis ça passe, et je me sens très bien.

– Tu veux que je t'emmène chez un médecin ? proposa Carlisle, inquiet.

Highway s'approcha et posa le museau sur la cuisse de Kincaid.

– Non, j'en ai déjà vu un.

Kincaid promena sa main sur le cou du chien, enfonça les doigts dans son épaisse fourrure.

– Il dit que je n'ai rien, juste un petit problème d'arythmie cardiaque. Ça passe. J'apprends à vivre avec.

Carlisle ne le crut pas, mais il n'insista pas. Robert Kincaid avait, de toute évidence, sa propre conception de l'existence, une conception que Carlisle ne

229

comprenait pas complètement et ne comprendrait peut-être jamais.

Une heure plus tard, ils riaient, lorsque Carlisle découvrit que, la semaine précédente, son père était à Salamander. Il demanda si Kincaid aurait envie de lui rendre visite dans le Dakota du Sud pour qu'il lui montre son travail. Au besoin, il participerait aux frais, pour le billet d'avion. Kincaid répondit qu'il en serait vraiment content, qu'il viendrait sans doute au printemps quand il ferait moins froid, qu'avec le vieux bonhomme qui habitait au-dessus du magasin de Lester, ils pourraient se déplacer plus facilement et aller entendre Gabe jouer des tangos au Leroy's. Carlisle dit qu'un de ces quatre, il reviendrait à Seattle avec sa camionnette et ses outils, et qu'il réparerait un peu le chalet.

Ils parlèrent de photographie et de menuiserie, de l'apprentissage nécessaire pour faire bien les choses. Robert Kincaid raconta qu'une fois, il avait passé vingt-quatre heures à contempler une simple feuille d'érable, en automne. De l'aube au crépuscule, et pendant la nuit au clair de lune, il avait étudié cette feuille. Pour lui, apprendre comment la lumière à elle seule pouvait transformer un objet, ça équivalait à faire ses gammes pour un musicien.

Ça, Carlisle le comprenait, et il raconta à son tour que Cody Marx lui imposait les tâches les plus routinières, inlassablement, jusqu'à ce qu'elles soient pour lui des automatismes.

– Préparer la surface, dit-il en riant. Les amateurs, ça les panique et ça les assomme. Mais Cody me le serinait sans arrêt. Pendant ma première année avec lui, j'ai sablé, poncé et manié le rabot à longueur de journée.

Le lendemain, Kincaid conduisit Carlisle à l'aéroport de Seattle-Tacoma. Son matériel photo était posé entre eux, sur le siège. Quand le vol fut annoncé, ils se dévisagèrent. Immobiles.

– Prends soin de toi, dit Carlisle, du fond du cœur.

Robert Kincaid lui sourit.

– J'ai beaucoup de kilomètres dans les pattes, Carlisle, mais je crois que j'en ai encore quelques-uns à parcourir.

Il consulta sa montre.

– Bon, il faudrait que j'aille faire des photos et gagner un peu d'argent.

Carlisle s'éloigna, suivit la foule qui se dirigeait vers la porte d'embarquement. Puis il se retourna, joua des coudes pour rejoindre Robert Kincaid. Celui-ci le regarda, rajusta l'une de ses bretelles orange, son ceinturon. Il se rappela que, pour respecter les consignes de sécurité de l'aéroport, il avait laissé son couteau dans le pick-up.

– Je viendrai te chercher au printemps, marmonna Carlisle qui avait la gorge nouée.

On annonçait que l'embarquement pour le vol de Denver s'achevait.

– J'aimerais que tu voies mon travail, continua Carlisle d'une voix éraillée.

Il toussota, murmura :

– Je... je suppose qu'un fils a toujours besoin de l'approbation de son père.

Ils s'avancèrent l'un vers l'autre. Carlisle posa son sac et entoura Robert Kincaid de ses bras. Kincaid étreignit son fils.

– Ah, bon Dieu de bon Dieu. Tiens le coup, tu m'entends ? fit Carlisle en tirant sur les bretelles orange – puis il les lâcha, doucement, et elles claquèrent sur le dos de Kincaid.

A l'entrée de la salle d'embarquement, il pivota et, gravement, regarda encore une fois son père, songeant à un voyageur solitaire sur les routes de Big Sur, autrefois, quand le monde était plus simple et que seule la liberté comptait pour une certaine race d'hommes.

Robert Kincaid, aussi droit que le lui permettaient ses soixante-huit ans, enfonça les mains dans les poches de son Levi's fané, salua Carlisle d'un hochement de tête, puis lui adressa le sourire affectueux et compréhensif d'un père qui dit au revoir à son fils, un fils qu'il n'a pu vu depuis longtemps et avec qui il n'a pas passé assez de temps.

Dans le hall, Kincaid entendit annoncer un vol pour Singapour ; sur le tarmac, un 747 se mit à rouler, en partance pour Djakarta ou Bangkok ou peut-être Calcutta. On ferma la porte d'embarquement derrière Carlisle McMillan, et Kincaid suivit des yeux le Boeing qui décollait et disparaissait dans les nuages, content de penser qu'un grand avion partait pour ailleurs et que lui n'était plus seul.

15

Plus aucune trace

Pendant un moment, le nouvel univers, lumineux, de Robert Kincaid dissipa le brouillard de Puget Sound. Il nettoya le chalet, repassa ses vêtements et, durant de longues heures, raconta à Nighthawk ce qui lui était arrivé, parla avec enthousiasme de la visite qu'il rendrait à Carlisle dans le Dakota du Sud, au printemps. Carlisle, Wynn et lui s'écrivirent, chacun d'eux relatant dans ses lettres les événements ou les souvenirs omis au cours de leurs conversations. Il prit même rendez-vous pour un bilan de santé complet.

Mais il advient toujours ce qui doit advenir. Trois semaines après avoir raccompagné Carlisle à l'aéroport, et quatre jours avant la date fixée pour le check-up, Robert Kincaid fut foudroyé par un infarctus, seul dans sa petite maison, où un voisin alerté par les aboiements de Highway le trouva mort. Il avait laissé les numéros de téléphone de Wynn et Carlisle à son ami Nighthawk Cummings. Nighthawk prévint Carlisle qui appela ensuite sa mère pour lui annoncer le décès de Kincaid. Wynn McMillan pleura et demanda quelles étaient les dispositions pour les obsèques. Carlisle lui dit que Kincaid était déjà incinéré et que l'étude de notaire qui s'occupait de ses affaires se chargerait de disperser ses cendres dans un lieu tenu secret.

Comme promis, Carlisle retourna à Seattle. Un petit mot de la main de Kincaid était punaisé sur le classeur de la cuisine :

Carlisle, tout est dans ce classeur et celui de la chambre. Sers-toi de la poubelle en fer, derrière. Merci. Il m'a fallu un moment pour m'habituer à l'idée d'avoir un fils, mais ça y est. Et, je te le dis, tu es tout ce qu'un père pourrait souhaiter. S'il m'arrive quelque chose, Nighthawk prendra soin de Highway.

Carlisle s'assit à la vieille table, dans la cuisine, et resta là plus d'une heure, à écouter bourdonner le frigo et à remuer les quelques souvenirs qu'il avait de Robert Kincaid, regrettant de n'en avoir pas davantage.

Il rassembla des journaux et alluma un feu dans la poubelle en fer. Tandis qu'il fouillait à nouveau dans les dossiers, il envisagea un instant de renier sa

promesse à Robert Kincaid. Mais c'était impossible :
il avait donné sa parole. De plus, il commençait à
comprendre un peu ce que Kincaid voulait dire
quand il parlait de la finalité de tout ça. Et il se
rappelait les mots de son père : « ... ne rien laisser
derrière moi, aucune trace. Qu'il ne reste rien ».

En cette claire et froide journée de décembre,
Carlisle jeta les diapositives et les négatifs, l'un après
l'autre, dans la poubelle en fer, et regarda le travail
de Robert Kincaid, l'œuvre d'une vie, partir en
fumée. Le docker souriant de Mombasa, la jeune
paysanne mexicaine. Le tigre émergeant des hautes
herbes près du lac Periyar en Inde, l'agriculteur au
visage dur qui fixait l'objectif depuis la cabine d'une
moissonneuse-batteuse, dans le Dakota du Nord.
Les sommets montagneux du Pays basque, à l'horizon, et les hommes qui mettaient leur bateau à la
mer dans le détroit de Malacca. Tous périrent par le
feu dans une poubelle en fer, un matin de décembre
en Amérique.

Il fallut trois heures à Carlisle pour accomplir sa
tâche. Souvent il s'arrêtait et tournait une diapositive
vers la lumière pour l'admirer une dernière fois avant
de la jeter dans la poubelle. A la fin, il ne resta plus
qu'une enveloppe en papier bulle et une boîte blanche dans le classeur de la chambre. Carlisle ouvrit
l'enveloppe. Elle contenait des lettres, une vingtaine.

Il en prit une et remarqua qu'elle était timbrée mais n'avait jamais été postée, comme les autres. Toutes étaient adressées à une certaine Francesca Johnson, RR 2, Winterset, Iowa.

Carlisle se remémora l'article sur les ponts couverts que son père avait signé dans les années 60. Ce nom, Winterset, éveillait un écho dans sa mémoire. Oui, c'était celui de la ville mentionnée dans le reportage. Et la chanson que Nighthawk Cummings avait chantée ne s'intitulait-elle pas *Francesca* ? Carlisle pêcha une pochette d'allumettes dans sa poche, y recopia le nom et l'adresse.

Il sentit la tentation le gagner, tripota l'une des lettres. Non, ce ne serait pas bien, pas bien du tout. Il hésita encore quelques secondes, puis jeta l'enveloppe en papier bulle dans la poubelle.

Il la regarda s'enflammer, après quoi il souleva le couvercle de la boîte blanche, retira avec précaution la feuille de papier transparent qui protégeait un mince paquet de photos en noir et blanc. Sur la première on voyait une femme appuyée au piquet d'une clôture, dans un champ, quelque part. Elle était, pensa Carlisle, extraordinairement belle, elle avait cette beauté que seule une femme mûre peut avoir, avec son jean moulant et son T-shirt sous lequel on devinait ses seins. La brise matinale jouait dans ses cheveux sombres, et il eut l'impression

qu'elle allait sortir de l'image pour venir à sa rencontre.

Sous cette photo, il y en avait une autre, de la
même femme, moins élaborée, presque impression-
niste. Elle portait un capuchon, et elle était songeuse,
comme si elle était sur le point de perdre quelque
chose qu'elle ne pourrait jamais retrouver.

Carlisle mit de côté ces deux photographies et jeta
les autres dans la poubelle en fer. Les flammes mor-
dirent le papier. Il contempla à nouveau les deux
images de la femme qu'il avait gardées.

Avec un long soupir, Carlisle McMillan tourna
son regard vers Puget Sound. Au loin, il aperçut un
héron qui planait au-dessus de l'eau. Au moment
même où une femme, dans l'Iowa, se mettait en
chemin pour le pont Roseman, il laissa les photographies de Francesca Johnson glisser de ses mains
et tomber dans le feu.

Postface

Ainsi s'achève le livre des adieux. Comme je l'ai raconté dans *Sur la route de Madison*, Francesca Johnson mourut en janvier 1989. Ses cendres furent dispersées au pont Roseman, à l'endroit même où celles de Robert Kincaid l'avaient été huit ans plus tôt.

En 1981, après être restée auprès de Carolyn pour la naissance de son deuxième enfant, elle rentra chez elle et appela la clinique vétérinaire de Bellingham, dans l'Etat de Washington. On l'informa que Robert Kincaid avait choisi un autre établissement quelques mois auparavant. Elle se rendit à la bibliothèque publique de Des Moines et nota les coordonnées de toutes les cliniques vétérinaires figurant dans l'annuaire téléphonique de la région de Seattle. L'une d'elles avait effectivement l'adresse actuelle de Robert Kincaid, mais pas son numéro de téléphone. M. Kincaid, lui dit-on, avait un golden retriever.

Alors que Francesca se préparait à partir pour Seattle, un livreur d'UPS lui apporta un paquet. Dedans, il y avait une lettre d'un notaire de Seattle, qui commençait ainsi : « Nous sommes chargés de régler la succession de Robert L. Kincaid, récemment décédé. »

Le paquet renfermait également les appareils photo de Kincaid, une gourmette en argent, et une lettre adressée à Francesca en 1978, qu'il n'avait donc pas pu réécrire pour mentionner l'existence de Carlisle McMillan. Ainsi, au bout du compte, Robert Kincaid n'avait pas effacé toute trace derrière lui, il avait laissé quelques-uns de ses biens à Francesca Johnson, pour des raisons qui n'appartenaient qu'à lui.

Quant à Carlisle McMillan, sa propre histoire – liée à ce qu'on appelle la guerre du comté de Yerkes et à une femme qui fit du garçon qu'il était un homme – mérite d'être narrée. Je le ferai peut-être un de ces jours.

Nighthawk Cummings a près de quatre-vingt-cinq ans, il habite un appartement à Tacoma. Un problème de vertèbres, qui lui ankylose le bras, a mis un terme à sa carrière de musicien, mais il lui arrive encore, de temps en temps, de souffler dans son saxo, le plus souvent au crépuscule. Il joue et rejoue *Autumn Leaves*, et pense à son bon ami Robert

Kincaid. Quoique Nighthawk connaisse son histoire avec une femme prénommée Francesca, Kincaid ne lui a jamais dit d'où elle était ni quel était son nom de famille. Dans l'appartement de Nighthawk, une photo d'un pont couvert, signée Robert Kincaid, est accrochée au mur. Nighthawk ne sait pas très bien pourquoi, mais cette image le fascine et, en principe, il la regarde quand il joue du saxo.

Highway, le golden retriever, a été adopté par le neveu de Nighthawk, il est mort quatre ans après Kincaid. Et Harry, le pick-up Chevy de 54 ? C'était l'une des dernières pièces du puzzle qu'il me fallait découvrir. Au fil de mes recherches, Harry m'avait paru aussi vivant que Francesca, le chien, Kincaid et tous les autres.

J'ai fini par le localiser. Il a été amoureusement restauré et réside à présent dans le Dakota du Sud. Carlisle McMillan a eu la gentillesse de me laisser conduire Harry dans la campagne, près d'un lieu baptisé Wolf Butte. Alors que j'étais au volant, brin-quebalant sur une petite route, je n'ai eu aucun mal à me représenter tous les kilomètres que Harry et Robert Kincaid avaient parcourus ensemble, leur long périple et tout ce qu'ils avaient vu, quand ils étaient en quête d'une bonne lumière.

Carlisle m'a aussi suggéré d'ouvrir la boîte à gants. Glissé derrière le revêtement craquelé, il y a une carte professionnelle sur laquelle on peut lire : *Robert Kincaid, reporter photographe*. Ah, encore un détail : dans la boîte à gants, enveloppé dans un chiffon, il y a aussi un rouleau de pellicule Kodachrome II 25.

Je vous quitte là-dessus, un moment de ma vie, mes vagabondages :

Le ruisseau descend des montages qui longent la côte
il bondit
sur le sable volcanique
son eau a la couleur des violettes.
Plus loin sur la plage
il y a une heure à peine
j'ai vu un éléphant de mer,
une bête énorme.

C'était sur la côte de Californie
en automne quand le sable était chaud.
Des bottes en caoutchouc
m'ont donné la force
et la liberté d'avancer.
Je suis entré dans le ruisseau
et je l'ai suivi des yeux
jusqu'aux premières vagues du Pacifique.

La mère de Carlisle McMillan
un jour s'est étendue sur cette plage
avec un homme nommé

Retour à Madison

Robert Kincaid
un photographe qui, lui,
suivait la lumière
car la lumière
était toujours plus loin sur la route.

C'était en 1945.
Il avait survécu à la guerre
et passait par là
sur sa moto.
Dans le limbe de leurs vies,
ils riaient
et buvaient du vin rouge
au bord de l'eau.
Et de ces instants
naquit un petit garçon, Carlisle.

Le ruisseau, je l'ai photographié,
j'ai vissé le Nikon sur son pied,
encore une fois,
je pensais à Kincaid,
à Wynn McMillan,
l'eau tourbillonnait autour de mes bottes,
la brise de l'aube murmurait
dans les cyprès.

La conservatrice d'un musée
où cette photo fut exposée

245

me demanda si, réellement,
c'était de l'eau sur du sable violet.
Ça ne ressemblait pas
à de l'eau sur du sable,
selon elle.
Un volcan, lui dis-je,
un volcan dans la nuit des temps
avait accompli ce prodige.

Moi, j'étais simplement passé par là
un jour...

... Robert Kincaid et moi étions passés par là.

Et c'est vraiment loin de chez moi. Très loin.

Remerciements

Merci à Mike et Jean Hardy d'Iron Mountain et à John M. Hardy Publishing, Inc., pour avoir accepté de publier ce livre, et particulièrement à Jean pour son remarquable travail sur le manuscrit. Je tiens à exprimer mon admiration envers Linda Bow, qui a non seulement lu et commenté l'ébauche de ce texte, mais qui a aussi eu l'idée du titre, alors que nous en avions envisagé et rejeté plus de cinquante. Beaucoup de mes amis proches ont également lu les premières versions de ce roman, je leur en suis reconnaissant. J'ai visité Big Sur à plusieurs reprises au cours de mes recherches, cependant Arlene Hess de la bibliothèque de Carmel, Californie, m'a fourni des informations supplémentaires sur la région ; la Big Sur Historical Society, la Henry Miller Library et la Chambre de Commerce d'Astoria, Oregon, m'ont également apporté leur aide. Merci à Linda Solomon qui m'a autorisé à utiliser la photo de Jack, le border collie, et de moi. Enfin, merci à mon agent, Aaron Priest, pour ses conseils et son inlassable indulgence à mon égard.

Cet ouvrage, composé
par I.G.S. - Charente Photogravure
à L'Isle-d'Espagnac,
a été achevé d'imprimer sur Roto-Page
par l'Imprimerie Floch à Mayenne,
pour les Éditions Albin Michel
en mars 2003.

Nº d'édition : 20958.
Nº d'impression : 56832.
Dépôt légal : avril 2003.
Imprimé en France.